Choisir pour deux
L'alimentation de la femme enceinte

La Collection du CHU Sainte-Justine

pour les parents

Choisir pour deux
L'alimentation de la femme enceinte

Renée Cyr

Éditions du
CHU Sainte-Justine

Catalogage avant publication de Bibliothèque et Archives Canada

Cyr, Renée

Choisir pour deux: l'alimentation de la femme enceinte

(La Collection du CHU Sainte-Justine pour les parents)

Comprend des réf. bibliogr.

ISBN 978-2-89619-432-2

    1. Grossesse - Aspect nutritionnel. I. Titre. II. Collection: Collection du CHU Sainte-Justine pour les parents.

RG559.C97 2011 618.2'42 C2011-940495-8

Illustration de la couverture: Sébastien St-Pierre

Conception graphique: Nicole Tétreault

Diffusion-Distribution au Québec: Prologue inc.
                     en France: CEDIF (diffusion)/Daudin (distribution)
                     en Belgique et au Luxembourg: SDL Caravelle
                     en Suisse: Servidis S.A.

Éditions du CHU Sainte-Justine
3175, chemin de la Côte-Sainte-Catherine
Montréal (Québec) H3T 1C5
Téléphone: (514) 345-4671
Télécopieur: (514) 345-4991
www.editions-chu-sainte-justine.org

© Éditions du CHU Sainte-Justine 2011
  Tous droits réservés
  ISBN 978-2-89619-432-2 (imprimé)
  ISBN 978-2-89619-433-9 (pdf)

Dépôt légal: Bibliothèque et Archives nationales du Québec, 2011
                Bibliothèque et Archives Canada, 2011

ASSOCIATION NATIONALE DES ÉDITEURS DE LIVRES

Membre de l'Association nationale des éditeurs de livres

REMERCIEMENTS

Ce livre voit le jour grâce à l'appui et à la générosité de nombreuses personnes. Je leur en suis profondément reconnaissante et je les remercie, en particulier :

Johanne Laverdure, de l'Institut national de santé publique, qui m'a offert le sujet de ce livre sur un plateau d'argent. C'est par elle que tout a commencé ;

Ma sœur, Céline Cyr, qui a lu et commenté le document avec enthousiasme et minutie, et qui a su proposer le bon mot pour embellir le texte ;

Maude Leblanc, dont le ventre s'est arrondi au fur et à mesure que ce livre prenait forme et qui m'a suggéré de brillantes idées pour le contenu ;

Luc Bégin et Marise Labrecque, des Éditions du CHU Sainte-Justine, qui continuent de me témoigner leur confiance et de m'offrir leur précieuse collaboration, dans les grandes lignes comme dans les moindres détails ;

Toute l'équipe des Éditions du CHU Sainte-Justine pour l'aide et le soutien qu'ils m'ont apportés tout au long de la préparation de cet ouvrage ;

Mes amis et ma famille, qui m'entourent et m'encouragent avec une constance qui fait chaud au cœur.

TABLE DES MATIÈRES

Avant-propos

La première grossesse ! Elle m'a offert des émotions d'une richesse inouïe, aussi vives que contradictoires. J'ai touché le ciel tellement j'étais comblée et heureuse de me savoir enceinte. L'échographie m'a bouleversée. J'étais en extase devant cette image floue que j'aurais trouvée ridicule en d'autres circonstances. J'ai connu les grands classiques, la peur, la faim, le trouble délicieux de sentir le bébé gigoter… et cet enthousiasme délirant devant les « choses » de bébé, si mignonnes et joliment emballées : les tout petits vêtements, les animaux en peluche, les hochets.

Je garde aussi le souvenir de la quantité incroyable de questions qui se présentent tout au long de la grossesse. Fallait-il modifier le projet de voyage, boire plus de lait, se séparer du chat ? Comment se déroulerait l'accouchement ?

Au début, j'y allais un peu à tâtons, je questionnais beaucoup ma mère et mes amies, tout autant que les livres et le personnel de la clinique médicale. L'accès à une telle diversité de ressources a constitué un véritable trésor. C'est ce qui m'a permis de confronter les idées, de faire des essais, de trébucher et, finalement, de trouver ce qui me convenait le mieux. Les ouvrages sur la grossesse ont été très précieux, à cet égard.

Dernièrement, j'ai eu l'occasion de revoir les études scientifiques qui portent sur l'alimentation durant la grossesse.

J'y ai fait de nombreuses découvertes : plusieurs recommandations ont été révisées, de nouveaux produits alimentaires ont envahi le marché, les tendances de consommation ont évolué. Durant la même période et par un curieux hasard, j'ai soudainement été entourée de femmes enceintes – mes nièces, des collègues de travail, les filles de mes amis – qui m'ont posé une foule de questions sur l'alimentation. L'idée de ce livre venait de naître.

J'ai choisi, pour décrire l'alimentation de la femme enceinte, d'emprunter la voix d'une journaliste qui enquête sur la question. Cette formule me donne la possibilité d'introduire des personnages et des situations qui, du coup, rendent le texte plus léger et dynamique.

Les informations contenues dans cet ouvrage s'adressent à des femmes enceintes en santé et qui attendent un seul bébé. Les femmes enceintes de jumeaux ou de triplés et celles qui souffrent de maladies (le diabète, par exemple) ont besoin de conseils personnalisés qui n'apparaissent pas dans ce livre. Il en est de même des femmes qui débutent leur grossesse avec un déficit nutritionnel, soit en raison d'un accès limité aux aliments ou de la présence de conditions particulières comme l'anorexie, par exemple. Les recommandations doivent être adaptées à leur situation et faire suite à une évaluation.

Introduction

Dès mon arrivée au bureau, je m'aperçois que j'ai reçu un courriel de Théo, mon rédacteur en chef : « Toi qui as déjà écrit sur l'alimentation, tu devrais venir faire un tour du côté des femmes enceintes. Elles ont mille questions sur l'alimentation, trop de sources d'information et rien pour les colliger. Ça te dirait de faire une enquête ? De mener les entrevues, fouiller, classer ? »

Je lui réponds sans tarder : « Comment se fait-il que tu t'intéresses soudainement à la grossesse et à l'alimentation ? Emma serait-elle enceinte ? Et quelles sont les questions dont tu parles ? »

Effectivement, sa conjointe Emma est enceinte et il a participé avec elle à un atelier sur la grossesse.

« J'ai été sidéré par le nombre de questions sur l'alimentation, note-t-il. Je t'en donne une idée : le café risque-t-il de faire du tort au bébé ? Est-ce que je prends trop de poids ? Faut-il un supplément de fer ? D'acide folique ? Qu'en est-il des boissons énergisantes ? Des sushis ? Du mercure ? (J'en ai beaucoup d'autres. Tu viendras me voir). Avec Emma, j'ai cherché un document qui traite en détail de ces sujets, mais nous n'avons rien trouvé. Alors, je me suis dit… »

J'ai pris connaissance des questions, me suis rendue à la bibliothèque, ai passé des heures sur Internet, questionné des femmes enceintes… et appelé Mathilde, la nutritionniste qui m'a si bien épaulée lors d'enquêtes précédentes.

— Quel projet magnifique ! s'exclame Mathilde. Viens à la clinique. Je te présenterai mes collègues. Rachèle est médecin, Sarah, sage-femme, et toutes deux assurent le suivi de grossesse de nos clientes enceintes. Elles sont des mordues de tout ce qui entoure la maternité. Elles sont curieuses, lisent tout ce qui leur tombe sous la main et adorent en discuter. Elles seront ravies de parler grossesse avec une journaliste qui a le goût de savoir.

La vie est étrange parfois. Il a suffi d'un courriel, d'un sujet magique et c'est reparti !

Les personnages

Mathilde, nutritionniste
Rachèle, médecin de famille
Julien, chef cuisinier
Sarah, sage-femme

CHAPITRE 1

La belle aventure

Mathilde m'avait indiqué l'adresse et la façon de me rendre jusqu'à la salle de réunion. Une femme y est déjà installée, en train de feuilleter un dossier. Elle se lève dès qu'elle m'aperçoit.

— Rachèle, dit-elle en me tendant la main.

Le sourire est plein de chaleur.

— Mathilde m'a chargée des préliminaires, commence-t-elle en souriant. Elle m'a demandé de te parler du début de la grossesse, des malaises qui l'accompagnent parfois, de l'acide folique. C'est bien ce qu'elle t'a dit?

— Exactement.

— Commençons par le début, alors. Il y a plusieurs années que je côtoie des femmes enceintes et la grossesse m'émerveille toujours autant. C'est une aventure tellement prodigieuse! On parle de deux cellules qui parviennent à s'unir contre vents et marées et qui, au terme d'une série de transformations, toutes plus étonnantes les unes que les autres, conduisent à la naissance d'un bébé ayant des yeux pour voir, des poumons pour respirer, un cerveau pour penser. C'est fascinant quand on y pense!

— Tout à fait !

— Sans compter le corps de la femme qui, spontanément, s'adapte à tout cela. Dès que l'**embryon** s'implante dans l'utérus, le corps de la mère change, comme régi par des lois nouvelles. C'est une fonction normale, je l'admets, mais chaque fois, c'est renversant.

— De quelle sorte de changements s'agit-il ?

— Oh ! Il y en a tant ! C'est une véritable révolution intérieure. La production d'hormones change, la quantité de sang augmente, le cœur est accéléré… En fait, tout se met en place pour fournir au nouvel occupant des conditions idéales pour se développer. Tout est modulé pour transporter vers lui les éléments nutritifs dont il a besoin, le protéger, éliminer les déchets qu'il produit.

— Les femmes enceintes que j'ai rencontrées constatent comment tout s'opère de façon naturelle et spontanée. En même temps, elles ont parfois l'impression de perdre le contrôle. Comme si quelqu'un d'autre était au poste de commande.

— C'est bien vrai cette sensation d'être gouvernée par des forces inconnues. La situation est transitoire, d'habitude, le temps qu'un nouvel équilibre s'installe.

Derrière les mots

L'embryon et le fœtus

L'ovule fécondé par le spermatozoïde va évoluer de façon spectaculaire. Tout en se divisant pour produire de nouvelles cellules, l'œuf se déplace d'abord vers l'utérus où il s'installe. Il devient embryon. Dès lors, les cellules commencent à se différencier, c'est-à-dire qu'elles se spécialisent les unes par rapport aux autres. Certaines deviennent le cœur, d'autres, le système nerveux, d'autres encore, le squelette. On appelle cette étape l'embryogenèse ou l'organogenèse, c'est-à-dire la période pendant laquelle se forment les organes.

Après huit semaines de vie intra-utérine, les principales structures sont en place. L'embryon, qui a déjà un aspect humain, devient fœtus. C'est la fin de la période des transformations et le début de celle du développement. Le fœtus va certes évoluer, mais il changera moins de forme durant les sept mois qui lui restent que pendant les deux premiers. Il va simplement grandir, croître et mûrir.

Bien sûr, il s'agit de la vision de la biologie et de la médecine plutôt que de celle de la mère qui, elle, attend un enfant. La distinction entre les deux étapes est cependant utile dans certains cas. Par exemple, la période critique pour la survenue de malformations est celle où le bébé porte le nom d'embryon. C'est durant cette période marquée par la différenciation, la prolifération et la migration cellulaires que le bébé est le plus fragile s'il est exposé à un agent toxique.

Des malaises, parfois

— J'aimerais que tu me parles des nausées. Les gens ont beau nous dire « dans un mois, tu n'y penseras même plus », on a toujours l'impression que ça va durer jusqu'à l'accouchement.

— Elles dérangent toujours, les nausées, mais elles persistent rarement. Dans la majorité des cas, on remarque qu'elles s'atténuent avec le temps. Et après la 20ᵉ semaine, on n'en voit presque plus.

— Mais pourquoi se produisent-elles ?

— Tu sais, on parlait tantôt des nombreux changements qui s'opèrent dans le corps de la femme enceinte. Ils viennent parfois avec des malaises. La plupart disparaissent au fur et à mesure que le bébé s'installe et que le corps de la mère s'habitue. C'est le cas des fameux symptômes du début de la grossesse : la fatigue, l'envie fréquente d'uriner et le plus courant de tous, les nausées.

— C'est quand même possible de diminuer les symptômes ?

— Absolument. C'est possible et c'est même important si l'on veut prévenir la progression du problème. Il faut s'en occuper.

— Par où commence-t-on, alors ?

— Par les habitudes de vie. Voici, par exemple, la liste de suggestions que nous avons préparée pour notre clientèle.

Rachèle me tend une feuille. Elle lit les consignes et les commente au fur et à mesure.

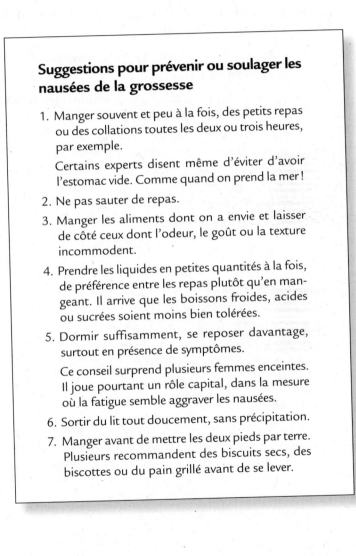

Suggestions pour prévenir ou soulager les nausées de la grossesse

1. Manger souvent et peu à la fois, des petits repas ou des collations toutes les deux ou trois heures, par exemple.

   Certains experts disent même d'éviter d'avoir l'estomac vide. Comme quand on prend la mer !

2. Ne pas sauter de repas.

3. Manger les aliments dont on a envie et laisser de côté ceux dont l'odeur, le goût ou la texture incommodent.

4. Prendre les liquides en petites quantités à la fois, de préférence entre les repas plutôt qu'en mangeant. Il arrive que les boissons froides, acides ou sucrées soient moins bien tolérées.

5. Dormir suffisamment, se reposer davantage, surtout en présence de symptômes.

   Ce conseil surprend plusieurs femmes enceintes. Il joue pourtant un rôle capital, dans la mesure où la fatigue semble aggraver les nausées.

6. Sortir du lit tout doucement, sans précipitation.

7. Manger avant de mettre les deux pieds par terre. Plusieurs recommandent des biscuits secs, des biscottes ou du pain grillé avant de se lever.

— La plupart du temps, ces suggestions sont suffisantes, conclut-elle. La femme enceinte réussit à s'alimenter et à fonctionner durant la journée.

— Que penses-tu des plantes ou des produits naturels pour soulager les nausées?

— Hum… encore faut-il faire la preuve que la substance est sans danger pour le fœtus. Ce qui est loin d'être évident. D'abord parce que les chercheurs sont réticents à l'idée de faire des essais auprès d'une femme qui porte un enfant. Ensuite parce qu'aucune femme enceinte ne voudrait servir de cobaye. Il reste donc les substances qui ont passé l'épreuve du temps, celles qui sont utilisées depuis tellement longtemps qu'on a fini par bien connaître leurs effets.

— Quelles substances?

— Le gingembre en est une. Même si son mode d'action n'est pas tout à fait clair, on sait que le gingembre peut être efficace pour soulager les nausées de la grossesse. On suggère donc aux femmes enceintes de l'essayer en utilisant, par exemple, du gingembre frais ou en poudre dans les salades et dans les mets cuisinés, ou encore en en faisant une tisane.

— J'ai aussi entendu parler de la vitamine B_6. Qu'est-ce qu'on en sait?

— Que c'est un traitement efficace contre les nausées de la grossesse. On conseille d'en prendre 30 à 75 milligrammes par jour, parfois répartis en plusieurs doses. Aucun effet indésirable n'a été rapporté à ces quantités. La vitamine B_6 est même l'un des composés du médicament le plus utilisé pour le traitement des nausées, le Diclectin[MD].

Rachèle change soudain d'air et de ton.

— Dis donc, tu me sembles avoir lu et entendu pas mal de choses sur le traitement des nausées. Internet?

— Oui, j'ai navigué pas mal sur Internet. Et j'y ai trouvé des informations en quantité impressionnante, des plus sérieuses aux plus loufoques, des gratuites et des payantes. C'est même difficile de savoir qui dit vrai. Les promesses sont tellement belles, parfois.

Rachèle ouvre les mains et les tourne vers le plafond, les yeux dans la même direction.

— J'abonde dans le même sens! Je dis toujours à mes clientes: «Tu consultes les sites que tu veux, mais au chapitre de la santé, tu ne fais confiance qu'à ceux qui ont la responsabilité de t'informer. À ceux qui ont le devoir de vérifier les données, de faire la preuve qu'elles sont fiables avant de les publier... Sinon, c'est trop facile. N'importe qui peut écrire n'importe quoi.»

— Comment sait-on qu'il s'agit d'un site fiable?

— Tu peux certainement te fier aux ministères, aux universités, aux institutions gouvernementales, aux ordres professionnels comme l'Association des médecins omnipraticiens, celle des sages-femmes, des diététistes, des infirmières... L'information qui paraît sur leur site Internet est appuyée sur des données qui ont fait leurs preuves, elle est mise à jour de façon régulière, et c'est rare qu'on y trouve quelque chose à vendre.

— C'est juste!

— Devant toutes ces pistes qui sont offertes, il faut dire aux femmes que durant la grossesse, la prise de médicaments, de suppléments ou de produits naturels devrait toujours se faire sous la surveillance d'un professionnel de la santé. Il faut à tout prix éviter l'automédication : le risque n'en vaut pas la peine.

— Parlant de médicaments, t'arrive-t-il d'en prescrire pour traiter les nausées ?

— J'en propose parfois. Quand les autres mesures sont sans effet, ou que les nausées perturbent le travail ou la vie quotidienne.

Une musique se fait entendre, très discrète, comme étouffée par plusieurs épaisseurs de papier ou de tissus. Rachèle part à la recherche de son sac et en sort un téléphone cellulaire.

— Allô, c'est Rachèle.

— …

— Oui, oui, Mathilde, viens nous rejoindre. Nous sommes dans la salle de réunion.

En reposant l'appareil dans son sac, Rachèle annonce que Mathilde sera là dans quelques minutes.

— Vous vous connaissez, je crois ?

— Oui, j'ai déjà eu le plaisir de la rencontrer.

Mathilde arrive sans se faire attendre avec des documents plein les bras.

— Je suis contente de te revoir, dit-elle avec un grand sourire ravi.

— Nous en étions aux nausées et aux façons de les soulager, précise Rachèle en s'adressant à Mathilde. Nous avons fait le tour de la question, je crois.

Et elle résume pour Mathilde ce qui a été dit jusqu'à maintenant.

— Est-ce qu'il te restait des questions? me demande-t-elle.

— Il m'en restait deux: Quel danger représentent les nausées pour le bébé? Et quel effet ont les nausées sur l'état nutritionnel de la mère?

— Je prends la première et je laisse la seconde à Mathilde, ça vous va?

Hochements de tête.

— Il est très rare que les nausées représentent un danger. Cela arrive seulement quand les femmes souffrent de vomissements sévères et qu'elles ne gardent aucune nourriture. La plupart du temps, les nausées affectent davantage le rendement au travail, les activités quotidiennes ou les rapports familiaux que la santé de la mère ou du bébé. Ceci étant dit, ce n'est pas une raison pour les prendre à la légère. Il faut à tout prix s'en occuper, les traiter et éviter la progression des symptômes.

— Je pourrais faire une réponse semblable, observe Mathilde. L'état nutritionnel de la mère est rarement menacé, sauf dans les cas les plus graves, comme ceux que tu as mentionnés: des vomissements persistants qui finissent par entraîner une perte de poids. Ce n'est quand même pas courant. Quelle fréquence?

— Pas plus d'une grossesse sur cent, répond Rachèle. Ce qui est rassurant, quand on y pense.

Le blogue
de la clinique

Pourquoi les appelle-t-on «nausées du matin»?

C'est la croyance populaire qui veut qu'elles se présentent le matin. En réalité, elles peuvent se pointer à toute heure du jour.

Est-ce qu'on ne pourrait pas prévenir les nausées?

En clinique, on observe que les femmes qui prenaient une multivitamine au moment de devenir enceintes présentent des symptômes moins sévères. Des études seront nécessaires pour confirmer ce lien.

Est-ce qu'on peut être enceinte sans avoir de malaise?

Pour certaines femmes, la grossesse est même une période qu'elles souhaiteraient prolonger tellement elles sont bien, tant sur le plan émotif que physique : elles sont en forme, heureuses, de bonne humeur. Ce qui ne veut pas dire que la suivante se déroulera de la même façon, chaque grossesse étant unique !

L'essentiel

- La grossesse est une période riche en émotions. Au-delà du visible, du ventre qui s'arrondit, les adaptations et les bouleversements sont nombreux. Ils assurent au fœtus un milieu où il sera bien nourri, protégé, bichonné.

- Les changements hormonaux de la grossesse provoquent parfois des malaises. Il faut savoir que toutes les femmes n'en sont pas affectées et que leur présence est très variable.

- Les nausées sont le malaise le plus fréquent chez les femmes enceintes. Un traitement précoce est souhaitable et prévient la progression des symptômes.

- Il faut toujours vérifier auprès d'un professionnel de la santé avant de prendre des substances censées soulager les malaises de la grossesse, que ce soit des produits de santé naturels, des plantes médicinales ou des médicaments vendus sans ordonnance.

CHAPITRE 2

L'acide folique

— J'aimerais que vous m'expliquiez ce qu'est l'acide folique. J'ai du mal à saisir tous les liens.

— Dis-moi d'abord ce que tu en sais, suggère Mathilde.

— J'ai vu qu'il y avait plusieurs termes pour désigner l'acide folique : les folates, la folacine, l'acide folique. Je comprends qu'il s'agit du même élément nutritif, mais sous des formes différentes.

— Exact. Tout va bien jusqu'ici.

— J'ai lu que les femmes devraient prendre un supplément d'acide folique pendant leur grossesse afin de prévenir les malformations chez le nouveau-né, particulièrement le *spina-bifida*.

Rachèle lève un doigt.

— Je précise ici que le supplément d'acide folique est recommandé non seulement pendant la grossesse, mais aussi **avant** d'être enceinte.

— C'est vrai. Pour quelle raison déjà ?

— Parce que la malformation dont tu parles, le *spina-bifida*, survient très tôt au début de la grossesse. Parfois même avant que la femme sache qu'elle est enceinte ! Je vais te montrer. Rachèle se lève pour prendre un grand livre sur les rayons de la bibliothèque. Elle tourne les pages jusqu'à trouver la photo qu'elle cherche. Elle montre un embryon de quelques semaines.

— Au cours des premières semaines suivant la fécondation, une bande de cellules se développe tout le long de la

surface dorsale de l'embryon, formant d'abord une rainure, puis un tube creux, le tube neural. Celui-ci va donner naissance à la moelle épinière et au cerveau. Le tube se ferme entre le 25ᵉ et le 29ᵉ jour de gestation. Avant la fin du premier mois, donc.

— C'est très tôt, en effet !

— La fermeture incomplète du tube neural cause une malformation, poursuit Rachèle. Le *spina-bifida* est la forme la plus connue et la plus courante de ces anomalies. L'enfant naît avec une partie de la moelle épinière ou des nerfs spinaux à l'extérieur du canal rachidien.

— Et l'acide folique là-dedans ?

— On sait que sa présence est déterminante au moment où se ferme le tube neural. Les études sont claires à ce sujet. Le fait de prendre un supplément d'acide folique quelques mois avant d'être enceinte et pendant les premiers stades de la grossesse réduit le nombre d'anomalies du tube neural de façon importante.

— …

Voyant ma réticence, Rachèle continue.

— Dès le début et tout au long de la grossesse, l'acide folique est requis en grande quantité, puisqu'il est impliqué dans la formation des nouvelles cellules. Pour agir, il doit cependant être disponible. C'est ce que fait le supplément.

Il permet d'augmenter le niveau d'acide folique qui circule dans le sang de la mère et de subvenir aux besoins dès qu'ils se présentent. Même au cours des premières semaines, alors que les femmes ne savent pas encore qu'elles sont enceintes et que la fermeture du tube neural ne s'est pas encore produite.

— Je comprends un peu mieux, merci. Tu admettras que c'est un brin complexe !

— J'admets, dit-elle, un sourire aux lèvres.

— Les bienfaits de l'acide folique sont tels, enchaîne Mathilde, que depuis 1998, il est obligatoire au Canada que la farine blanche, les pâtes alimentaires et la semoule de maïs soient enrichies d'acide folique.

— Et il faut quand même continuer de prendre un supplément ? Malgré l'ajout d'acide folique dans ces aliments ?

— L'alimentation en fournit plus qu'avant, rétorque Mathilde, mais il en manque encore un peu. Au Québec, par exemple, les adultes consomment des aliments qui renferment à peu près 400 microgrammes d'acide folique par jour. C'est suffisant pour eux. Durant la grossesse, toutefois, il en faut un peu plus, environ 600 microgrammes, ce qui peut être difficile à atteindre par l'unique recours à l'alimentation.

— Voilà pourquoi on recommande de prendre un supplément, note Rachèle. En général, on prescrit un supplément qui contient 400 microgrammes d'acide folique, à prendre chaque jour au moins trois mois avant la conception. Le dosage peut varier en présence de conditions particulières, l'épilepsie, par exemple.

— Le supplément renferme-t-il uniquement de l'acide folique ?

— Idéalement, répond Rachèle, il contient d'autres vitamines et minéraux en plus de l'acide folique. C'est ce qui correspond le mieux aux nouvelles recommandations: une multivitamine qui fournit de l'acide folique, mais aussi du fer et de la vitamine B_{12}. La majorité des suppléments vitaminiques conçus pour les femmes enceintes renferment ces trois éléments, ainsi qu'un peu de vitamine D, des vitamines B…

Le son de la musique fait de nouveau diversion. Rachèle attrape le téléphone et se dirige vers le fond de la pièce… pour revenir immédiatement.

— Je dois vous quitter, annonce-t-elle, en réunissant ses papiers. J'ai été ravie de faire ta connaissance, ajoute-t-elle en me tendant la main. N'hésite pas à me contacter, peu importe la question ou le propos.

— D'accord. Tu es gentille.

Elle salue Mathilde et s'empresse de sortir.

— Sans doute un bébé qui s'en vient, suggère Mathilde, une étincelle au fond des yeux. Après quelques secondes de silence, elle reprend.

— Nous pourrions conclure avec les aliments qui contiennent de l'acide folique, si tu veux.

— C'était ma prochaine question.

— L'acide folique est présent dans une grande variété d'aliments: les produits céréaliers enrichis (les pains, céréales et pâtes alimentaires), les légumes verts (épinards, laitue romaine, brocoli, choux de Bruxelles), les légumineuses (lentilles, haricots secs), les oranges et le jus d'orange.

Le blogue
de la clinique

Je ne prenais pas de supplément quand j'ai appris que j'étais enceinte. Que puis-je faire ?

Rachèle écrit :

Il n'est jamais trop tard pour commencer. L'acide folique occupe une place importante dans la prévention des anomalies du tube neural, mais n'oublions pas qu'il joue également un rôle de premier plan dans la formation de nouvelles cellules. Il favorise, par exemple, l'augmentation du volume sanguin chez la femme enceinte et la croissance des tissus chez la mère et le fœtus.

L'essentiel

L'acide folique est recommandé avant même la conception tant son rôle est déterminant dans la formation initiale du placenta et du fœtus.

On recommande aux femmes de prendre un supplément d'acide folique pour diminuer le risque de malformations congénitales (des malformations qui sont présentes à la naissance, mais qui ont débuté pendant la grossesse, comme le *spina-bifida*, par exemple).

On conseille de prendre un supplément d'acide folique avant même d'être enceinte et tout au long de la grossesse.

Il est recommandé de prendre un supplément d'acide folique sous la forme d'une multivitamine qui contient également du fer et de la vitamine B_{12}.

CHAPITRE 3

Manger beau et bon durant la grossesse

J'informe Mathilde que les questions qui suivent sur ma liste forment un curieux mélange : certaines portent sur les calories, d'autres sur le contenu de l'assiette, les meilleurs choix, l'horaire.

— Parfait, déclare Mathilde. Allons-y avec les généralités pour commencer. Pendant la grossesse, l'alimentation repose sur les mêmes grands principes qu'en toute autre période de la vie. Elle comprend des aliments variés, bons au goût, peu transformés, elle inclut beaucoup de fruits et de légumes, des produits frais, des gras de qualité et elle contient une quantité limitée d'aliments à faible valeur nutritive… Ceci étant dit, le fait de porter un enfant amène des besoins nouveaux, on s'en doute !

— Tu vas me dire qu'il faut manger pour deux ?

Mathilde m'arrête aussitôt.

— Manger pour deux, oui, ce qui ne veut pas dire manger deux fois plus, fait-elle en riant. L'expression « Choisir pour deux » conviendrait mieux. Elle évoque une certaine délicatesse dans la variété des aliments plutôt qu'une grande quantité dans l'assiette. On parle ici d'aliments choisis avec soin, en fonction de leur valeur nutritive.

— Est-ce quand même juste de dire qu'il faut plus de calories et plus d'éléments nutritifs pendant la grossesse ?

— Il en faut **un peu** plus. Et l'augmentation est graduelle. Pendant les premiers mois, les besoins sont à peu près les mêmes qu'avant d'être enceinte. Ils augmentent ensuite petit à petit, au fur et à mesure que la grossesse avance, que le bébé grossit, que le sang et le placenta prennent du volume.

— Y compris les calories ?

— Tout à fait. La recommandation tient compte du stade de la grossesse. Elle prévoit une augmentation du nombre de calories seulement à partir du 2e trimestre, c'est-à-dire de la 13e semaine de grossesse. On estime que les femmes enceintes ont besoin d'environ 350 calories de plus par jour au cours du 2e trimestre et de 450 calories de plus durant le 3e trimestre.

— Et sur le plan pratique, qu'est-ce que ça représente ?

— On ajoute deux ou trois portions aux recommandations du *Guide alimentaire canadien.*

Je lève un sourcil. À peine, me semble-t-il, mais assez pour que Mathilde le remarque.

— L'outil est un peu galvaudé, j'en conviens, mais il est bien utile pour assurer l'équilibre et la variété de l'alimentation. Je m'en sers comme point de départ. Viens voir.

Mathilde met le portable sous tension.

— Pour les femmes qui ont entre 19 ans et 50 ans, qui ne sont pas enceintes et qui n'allaitent pas, le nombre de portions recommandé chaque jour dans le *Guide alimentaire canadien* est le suivant, dit-elle en pointant l'écran :

- 6 à 7 portions de produits céréaliers ;
- 7 à 8 portions de légumes et de fruits ;
- 2 portions de lait et substituts ;
- 2 portions de viandes et substituts.

— Quand je rencontre les femmes enceintes, la première fois, poursuit Mathilde, nous jouons à comparer leur alimentation au *Guide alimentaire canadien*. L'instruction de départ consiste à atteindre au moins le nombre de portions que tu vois à l'écran. Ensuite, quand vient le temps d'augmenter le nombre de calories, au début du 2e trimestre, on ajoute des aliments en commençant par les groupes qui font défaut. Ainsi, c'est adapté à la situation de chacune.

Mathilde fait disparaître le tableau de l'écran et poursuit.

— J'ai consulté le menu des femmes enceintes qui ont fréquenté la clinique cette année et j'en ai choisi quelques-uns qui se prêtent bien à la discussion.

Le lait et ses substituts

— J'ai choisi l'exemple de Julianne parce qu'il s'applique à beaucoup de femmes. Son menu comporte très peu de produits laitiers : un peu de lait dans le café, fait-elle en pointant le mot sur l'écran, un yogourt de temps en temps. Sinon, elle mange du fromage une ou deux fois par semaine, le plus souvent dans un mets cuisiné (comme ici, dans la lasagne). Julianne ne se souvient pas de la dernière fois qu'elle a bu un verre de lait.

Mathilde poursuit tandis que je m'attarde à la lecture du menu.

7h20 à la maison	• 2 rôties, beurre, beurre d'arachides • 1 morceau de banane • 1 café avec **lait** et sucre
9h45 à la salle de pause-café	• Raisins verts, raisins rouges • 1 biscuit à l'avoine
12h10, à la cafétéria avec les collègues de travail	• Une généreuse portion des restants de la veille : un mélange de riz, morceaux de poulet, légumes variés (poivrons, oignons, champignons) • **Yogourt**
Tout au long de l'après-midi	• Une canette de cola
14h50 à la salle de pause-café	• Morceaux de melon • Barre tendre
17 heures à la maison	• Quelques crudités (bâtonnets de carotte, morceaux de courgette) • Une poignée de canneberges enrobées de chocolat noir
19 heures au restaurant avec son conjoint et des amis	• **Lasagne** • Salade composée • Crème caramel

— Si elle s'alimente de cette façon depuis plusieurs années, ses réserves en calcium sont peut-être minces. Je l'invite donc à ajouter des produits laitiers pour en obtenir au moins deux portions par jour. Ainsi, on protège son capital et on fournit au bébé ce dont il a besoin.

— Elle devra boire du lait ?

— Pas forcément. Si c'est un aliment qui lui plaît, oui. Sinon, on le remplace par un autre. Pour ce qui est de Julianne, elle a vite fait savoir qu'elle n'aimait pas le lait… sauf si le goût est très bien masqué. On a donc introduit du lait au chocolat ou à la vanille, des *smoothies* à base de lait, un yogourt à boire ici et là. On a aussi ajouté du fromage : dans les lunchs ou comme collation, pour accompagner les fruits, les soupes. Ah, les soupes ! Julianne est de celles qui adorent les soupes. On lui a donc déniché plusieurs recettes de potages à base de lait. Toutes plus goûteuses les unes que les autres.

Elle ouvre les avant-bras de chaque côté, l'air satisfait.

— Tu vois ? Tout y est : de la couleur, de la saveur, un brin de fantaisie. Et au goût de la principale intéressée, en plus ! Parce que c'est elle qui a choisi. En fonction de ce qui lui manquait.

— Super !

Le calcium

— Il a été question du calcium, tantôt. En faut-il plus durant la grossesse ?

— Ce n'est pas nécessaire. Parce que la mère le ménage comme si c'était un métal précieux.

L'image nous fait sourire toutes les deux.

— Il s'agit d'une des belles adaptations du corps à la grossesse, explique Mathilde. La mère absorbe mieux le calcium au niveau de l'intestin et ses reins en rejettent moins dans l'urine. Tout ceci dans le but de bien nourrir le bébé et de lui apporter le calcium nécessaire à la formation des os et des dents. C'est génial, non ?

— Brillant !

— Ce qui fait qu'en tout et pour tout, l'apport en calcium considéré comme étant suffisant reste le même qu'avant la grossesse : il est estimé à 1 000 mg par jour.

— Et que mange-t-on pour obtenir 1 000 mg de calcium par jour ?

— J'ai sûrement un tableau… attends.

Elle déplace le curseur, à la recherche du bon document.

— Oui, ça y est. La liste est sommaire, mais elle montre l'essentiel. Dans l'alimentation nord-américaine, les principales sources de calcium sont le lait et les substituts du lait, c'est-à-dire les yogourts, les fromages, les boissons de soja enrichies, de même que tous les mets préparés avec ces aliments. On parle ici des poudings, des plats gratinés, des soupes-crèmes. D'autres aliments contiennent également du calcium, mais en plus petite quantité que dans les produits laitiers. Le brocoli et les légumes à feuilles vert foncé en sont des exemples, de même que les amandes et le beurre de sésame, le saumon en conserve avec les arêtes et le tofu. Mais il en faut beaucoup pour fournir la même quantité de calcium qu'un verre de lait.

Les sources alimentaires de calcium[1]

Aliment	Quantité	Teneur en calcium (mg)
Laits et aliments préparés avec du lait		
Lait écrémé, 1 %, 2 % et 3,25 % MG	250 ml (1 t.)	300-320
Boisson de soja ou de riz, enrichie	250 ml (1 t.)	320
Lait de beurre	250 ml (1 t.)	300
Lait au chocolat	250 ml (1 t.)	300
Pouding au riz maison	125 ml (½ t.)	115
Pouding instantané, préparé avec du lait	125 ml (½ t.)	141
Soupe-crème préparée avec du lait 2 %	250 ml (1 t.)	175-200
Yogourts, desserts glacés		
Yogourt 0,1 %, 1,5 %, 3 % MG	175 ml (¾ t.)	200-300
Yogourt à boire	1 cont. 200 ml	190
Kéfir, nature	175 ml (¾ t.)	190
Crème glacée, lait glacé, yogourt glacé	125 ml (½ t.)	90-130
Fromages		
Gruyère	50 g (1 ½ oz)	500
Emmental	50 g (1 ½ oz)	396
Brick, cheddar, édam, gouda, mozzarella	50 g (1 ½ oz)	325-365
Ricotta	125 ml (½ t.)	356
Feta	50 g (1 ½ oz)	250
Fromage frais (Minigo[MC], Danimal[MC])	1 cont. 60 g	140
Préparation de fromage fondu	1 tranche mince	115
Cottage (2 %)	125 ml (½ t.)	75
Parmesan, romano	15 ml (1 c. à s.)	70
Autres aliments		
Sardines en conserve	100 g (3 ½ oz)	300
Saumon en conserve avec arêtes	75 g (2 ½ oz)	200
Tofu ferme	100 g (3 ½ oz)	156
Amandes	60 ml (¼ t.)	100
Beurre de sésame, tahini	30 ml (2 c. à s.)	130
Brocoli	125 ml (½ t.)	70
Jus de fruits enrichi de vit. D et calcium	125 ml (½ t.)	185

1. Santé Canada. *Valeur nutritive de quelques aliments usuels.* Ottawa : Publications Santé Canada, 60 p.

La vitamine D

Mon doigt s'accroche à la dernière ligne du tableau, sur les lettres « vit. D ». Mathilde a suivi mon geste.

— Oui, c'est un bon moment pour en parler, convient-elle. La vitamine D aide à l'utilisation du calcium dans l'organisme et, par le fait même, elle joue un rôle important dans la formation des os et des dents.

— Il me semble qu'on a beaucoup entendu parler de la vitamine D, ces derniers temps, mais plus en termes de prévention des cancers et des maladies du cœur, et de l'importance d'en consommer plus.

— C'est vrai qu'il y a beaucoup de recherches et d'écrits là-dessus. Santé Canada a d'ailleurs modifié sa recommandation à la fin de l'année 2010 et propose d'augmenter l'apport en vitamine D.

— Est-ce valable pour les femmes enceintes ?

— L'apport recommandé est le même que pour les femmes adultes. Celui-ci est passé de 5 à 15 microgrammes de vitamine D chaque jour.

— Il a triplé ?

— Parole.

— Où est-ce que je peux trouver de la vitamine D ?

— Dans les aliments, notre principal fournisseur est le lait, ou encore les boissons de soja qui en sont enrichies. Il y en a également dans les poissons gras comme le saumon, la truite et les sardines, dans les œufs et la margarine. J'ai aussi vu sur le marché que certains yogourts sont maintenant préparés à partir de lait enrichi et fournissent, par le fait même, une belle quantité de vitamine D.

Info-Plus

Sur les emballages, le dosage de la vitamine D est parfois indiqué en unités internationales (UI), parfois en microgrammes (µg). Pour s'y retrouver, il suffit de retenir que 40 UI = 1 µg

— Et le soleil?

— C'est la meilleure source de vitamine D qui soit. Quand ils sont en contact direct avec la peau, les rayons du soleil activent la production de vitamine D. Toutefois, comme le soleil est associé au cancer de la peau, personne n'oserait recommander aux femmes de s'exposer au soleil pour obtenir leur dose de vitamine D.

— Pourquoi pas, si elles utilisent un écran solaire?

— Parce que l'application d'un écran solaire empêche la production de vitamine D.

— Ah bon?

— La question qui se pose est donc fort délicate: est-on prêt à risquer une augmentation des cas de cancer de la peau pour une dose accrue de vitamine D? Je dirais que non.

— Tu t'en tiendrais donc aux aliments?

— Il est difficile, je crois, d'atteindre la quantité nouvellement recommandée juste avec l'alimentation. En attendant des consignes plus précises, je continue d'encourager les femmes enceintes à consommer les aliments qui sont riches en vitamine D. De plus, les préparations de multivitamines qui leur sont destinées (tu sais, celles qui contiennent de l'acide folique, du fer et de la vitamine B_{12}) contiennent aussi de la vitamine D. Elles contribuent ainsi à combler les besoins.

Le blogue
_____ de la clinique

C'est fou de prendre des suppléments de vitamine D si le soleil peut nous en fournir naturellement. Est-ce qu'on ne pourrait pas en profiter juste un peu, par exemple sortir dehors une demi-heure par jour sans crème solaire sur les jambes et sur les bras?

Rachèle répond:

La question est fort pertinente. Certains chercheurs recommandent de prendre du soleil régulièrement entre avril et octobre, afin de faire des réserves pour la période hivernale. Une exposition sans écran solaire des bras et du visage pendant 10 à 20 minutes, quand le soleil est à son plus haut (entre 11 heures et 14 heures), est suffisante.

Bien entendu, les dermatologues sont en total désaccord. Ainsi que les associations qui luttent contre le cancer. Ils favorisent plutôt la supplémentation.

Il est important de noter qu'il n'est pas question de s'exposer à découvert plus de 20 minutes ni d'exposer tout le corps, et encore moins de prendre un coup de soleil.

Il reste bien sûr à étudier l'une et l'autre des propositions et à déterminer les doses idéales...

Les protéines

Mathilde retourne à l'ordinateur et ouvre un nouveau document.

— J'ajoute toujours, pour terminer cette section, que les produits laitiers sont aussi une excellente source de protéines. On a tendance à l'oublier parce que notre alimentation nord-américaine en fournit abondamment. Dans certains cas, pourtant, les protéines des produits laitiers font toute la différence. Prenons les femmes qui mangent très peu de viande. Elles obtiennent une belle part de protéines dans les produits laitiers. Même chose quand les besoins sortent de l'ordinaire. Rachèle a suivi une maman qui attendait des triplés, l'an dernier. Imagine l'ampleur des besoins.

— Ils doivent être considérables, en effet !

— La mère a mis au monde trois bébés qui pesaient presque 6 livres (2,7 kg) chacun. Au journaliste qui lui a demandé son secret, elle a expliqué qu'elle buvait un litre de lait par jour par bébé et que c'était la clé de son succès.

— Penses-tu qu'elle a raison ?

— Au moins en partie, sourit-elle. À la quantité de cellules et de tissus qu'il y avait à former, les protéines ont dû lui être très utiles !

— C'est leur fonction principale ?

— UNE de leurs grandes fonctions, oui. Les protéines sont des constituants de presque toutes nos cellules: celles du sang, des muscles, des organes vitaux. Non seulement elles font partie de ces cellules, mais elles participent également à leur fonctionnement et à leur entretien. Durant la grossesse, elles sont essentielles au développement du fœtus et du placenta, ainsi qu'à l'expansion du volume sanguin.

— Les besoins sont grands, donc ?

— Pendant la première moitié de la grossesse, le besoin en protéines est le même que chez les femmes qui ne sont pas enceintes, c'est-à-dire 46 g par jour. L'apport recommandé augmente par la suite à 71 g par jour.

— Tu devines sans doute ma prochaine question ?

— Je dirais qu'il s'agit des types d'aliments qui renferment des protéines, lance-t-elle en riant.

J'admets.

— Les sources alimentaires de protéines sont très variées. Les plus importantes sont les produits laitiers, dont nous avons déjà parlé, la viande et tous les aliments qui la remplacent : la volaille, les poissons et autres produits de la mer, les œufs, les légumineuses, les noix et les graines. C'est d'ailleurs le thème de notre prochaine histoire, celle de Léna.

Avec ou sans viande

— Léna est végétarienne, enchaîne Mathilde. Maintenant qu'elle est enceinte, elle est préoccupée de savoir si son menu convient aux besoins du bébé.

— Je pensais qu'un menu végétarien était déconseillé durant la grossesse.

— Pas forcément. S'il est bien planifié, le menu végétarien apporte tout ce qu'il faut à la mère et au bébé.

— Vraiment ?

— C'est sûr qu'il y a toutes sortes de variantes au végétarisme et que certaines peuvent être problématiques. Si le menu exclut tous les aliments d'origine animale, par exemple, non seulement la viande et le poisson, mais aussi les œufs, le lait et les produits laitiers, certains éléments nutritifs risquent de manquer à l'appel. Mais c'est une forme plutôt rare de végétarisme. Les femmes que nous voyons en clinique ont une alimentation végétarienne plus modérée, d'habitude.

— …

— Dans ce cas, reprend Mathilde, nous portons une attention particulière aux protéines, nous vérifions s'il y en a suffisamment et si elles se complètent bien.

— Ce qui veut dire ?

— Les protéines d'origine végétale sont moins complètes que les protéines animales. Pour améliorer leur qualité et leur efficacité, on conseille soit de les combiner entre elles (légumineuses avec céréales, légumineuses avec noix et graines) OU encore d'y ajouter un peu de protéines animales au cours du même repas. Léna utilise l'une et l'autre des options.

Mathilde pointe l'écran.

— Tu vois ? Il lui arrive de combiner des protéines végétales, comme le blé et le soja au petit-déjeuner. Ici, elle prend un yogourt pour terminer un repas de légumineuses, là, du fromage à la collation. Si elle n'avait pas consommé de produits laitiers, on aurait aménagé son menu de façon différente. On aurait complété les protéines végétales en ajoutant du couscous (une céréale) dans sa salade de légumineuses, et au souper, des pois chiches ou des haricots rouges (une légumineuse) à son repas de quinoa.

7h35 à la maison	• 2 clémentines • Crème de **blé** préparée avec boisson de **soja** enrichie • Café avec sucre et crème
10 heures au bureau d'une collègue	• Une poignée de noix • Prune
12h10 à la cafétéria	• Une salade de légumineuses : haricots blancs et noirs, pois chiches, lentilles, beaucoup de légumes, une sauce à l'ail et au gingembre • **Yogourt** • Une tasse d'eau chaude avec du citron
15h15 à la salle de pause-café	• Une tasse de boisson de soja enrichie • Quelques dattes
17 heures à la maison	• Quelques crudités (bâtonnets de carottes, morceaux de courgette) • Une poignée de canneberges enrobées de chocolat noir
19 heures	• Quinoa aux légumes (avec carottes, navets, haricots verts, champignons, céleri, poivrons, oignons) • Une salade de tomates
21 heures	• **Fromage** de chèvre • Morceaux de pomme

— Avec ce que tu m'as dit tantôt, c'est-à-dire que les besoins en protéines augmentent durant la seconde moitié de la grossesse, dirais-tu que ce menu en contient suffisamment ?

— Pour les premiers mois, oui. Ensuite, il valait mieux ajouter d'autres sources de protéines pour combler les besoins. Léna a proposé de mettre du poisson au menu une ou deux fois par semaine, d'inclure un œuf de temps en temps, et un peu plus de tofu dans les salades et dans les plats cuisinés. Mathilde se tourne vers l'écran et ferme la page en cours.

Si tu n'as pas d'autres questions sur les protéines, poursuit-elle, je mettrais le fer sur la table. Nous pouffons de rire toutes les deux, avant même qu'elle ait le temps de nuancer sa pensée.

Le fer

Mathilde retrouve son sérieux et enchaîne.

— Le fer fait partie de l'hémoglobine du sang. Comme le volume sanguin augmente chez la femme enceinte et, par le fait même, la quantité d'hémoglobine, le fer est requis en plus grande quantité pendant la grossesse. D'autant plus qu'il participe également à la croissance des cellules du fœtus et du placenta. Pour finir, le bébé profite de la grossesse pour emmagasiner les réserves de fer dont il aura besoin pendant les six premiers mois de sa vie. Les besoins en fer augmentent donc considérablement pendant la grossesse. L'apport nutritionnel recommandé a été fixé à 27 mg par jour.

— C'est beaucoup?

— Si l'on considère qu'en moyenne, les femmes adultes ont une alimentation qui leur apporte 13 à 14 mg de fer par jour, oui, c'est beaucoup. Pour combler les besoins accrus en fer, on conseille aux femmes enceintes de prendre un supplément qui contient de 16 à 20 mg de fer chaque jour. Les données montrent que les femmes qui ont quotidiennement consommé un supplément de fer sont moins susceptibles d'avoir une **déficience en fer ou de l'anémie**.

— Il s'agit bien du supplément dont parlait Rachèle tout à l'heure, la multivitamine qui contient aussi de l'acide folique et de la vitamine B_{12} ?

— Exact.

— Et dans les aliments, où le trouve-t-on ?

— Les viandes sont les meilleures sources de fer, ainsi que les volailles et certains produits de la mer. On trouve également du fer dans certains aliments d'origine végétale (les pains et céréales enrichis, les légumineuses, certains fruits et légumes, les amandes), bien que sous une forme moins bien assimilable par l'organisme. Les consommer avec des aliments riches en vitamine C permet d'améliorer l'absorption du fer.

Derrière les mots

La déficience en fer et l'anémie

Quand la quantité de fer n'est pas suffisante, le sang renferme moins d'hémoglobine et transporte moins bien l'oxygène des poumons jusqu'aux tissus. L'organisme se défend moins bien contre les infections et la production d'énergie à partir des calories fait défaut. Les femmes se sentent alors fatiguées et résistent mal aux infections.

Cette déficience en fer peut entraîner un accouchement prématuré ou un faible poids de naissance chez le nourrisson. Chez la mère, elle peut causer de l'anémie. Celle-ci se caractérise par une diminution du nombre de globules rouges dans le sang et de leur teneur en hémoglobine.

Les collations

— Dirais-tu que les femmes enceintes ont besoin de collation ?

— Absolument ! Les femmes enceintes risquent une petite faim toutes les deux ou trois heures. Et c'est parfait. Je les encourage à manger souvent et à prévoir des collations satisfaisantes. Sinon, on est porté à grignoter n'importe quoi. Tu sais, le genre de collation qui bourre, qui remplit l'estomac, sans apporter le nécessaire ?

— Oui, je vois très bien. Mais donne-moi des exemples de ce que tu proposerais.

— Je m'inspire de ce que mange la femme enceinte, souviens-toi. Nous comparons son alimentation au *Guide alimentaire canadien* et nous cherchons à atteindre au moins le nombre de portions recommandé dans chaque groupe. Les collations jouent un rôle important ici. Elles permettent de combler les vides, de corriger les petites imperfections du menu. Ainsi, on ajoute un yogourt, un muffin au son, un mélange de noix et de fruits séchés, à la fois pour rehausser la qualité de l'alimentation et pour répondre au goût de la femme enceinte.

Je rassemble les feuilles dispersées devant moi et vérifie si je n'ai rien oublié.

— J'ai beaucoup de notes et encore peu de recul pour en parler, mais je trouve que les recommandations ont beaucoup changé au cours des dernières années.

— Heureusement, lance Mathilde. Imagine si c'était le contraire ! Ce serait désastreux. La technologie évolue sans cesse, les traitements contre le cancer aussi. C'est pareil pour la nutrition. Il faut que ça bouge, que la science progresse au rythme de la population, de ses habitudes alimentaires, des produits qu'elle consomme. Sinon, on nous accuserait de faire du surplace. Et avec raison.

Après un court silence, elle reprend.

— On a accès à de nouvelles techniques et à des méthodes qui nous apprennent beaucoup de choses sur les aliments, leur composition, leur façon de contribuer à la santé ou à la maladie. Ces connaissances-là ne doivent pas croupir au fond du tiroir. Il faut qu'elles servent et qu'elles soient partagées.

— Tu as parfaitement raison. On admet volontiers que les traitements d'aujourd'hui soient différents de ceux d'hier ou que nos ordinateurs soient remplacés par de nouveaux modèles. On devrait en faire autant quand il s'agit des recommandations en nutrition.

— Je devrai te quitter dans quelques minutes, mais avant, j'aimerais te lancer une invitation. Si tu es partante, je t'emmènerai faire la tournée du supermarché – comme je le fais avec la clientèle de la clinique – mais d'abord, à l'atelier de groupe qui a lieu lundi soir. Ça te dit ?

— J'en serai ravie ! C'est vraiment généreux de ta part.

Le blogue
_____ de la clinique

Les suppléments de fer ont la réputation de causer de la constipation. Qu'en pensez-vous ?

Rachèle écrit :

La constipation est très fréquente pendant la grossesse, mais elle n'est pas toujours causée par le supplément contenant du fer. Elle est surtout liée à la progestérone, une hormone plus abondante pendant la grossesse et qui rend les intestins paresseux. Il arrive aussi que la constipation soit due à un manque de fibres, ou encore à un manque de liquide dans l'alimentation de la mère.

Il faut ajouter que cette réputation date du temps où la dose de fer contenue dans le supplément était le double de celle d'aujourd'hui. La quantité de fer a diminué de moitié dans les suppléments offerts aux femmes enceintes, mais la réputation, elle, est restée inchangée.

Si la femme croit que le supplément de fer peut causer de la constipation, elle peut y remédier en prenant le supplément pendant les repas, en augmentant la teneur en fibres de son alimentation et en buvant beaucoup d'eau.

Longtemps, on a dit aux femmes enceintes de manger du foie durant la grossesse, à cause de son contenu élevé en fer. C'est toujours vrai ?

Mathilde répond :

Non, parce que sa teneur en vitamine A est trop élevée. On recommande aux femmes enceintes et à celles qui souhaitent le devenir d'éviter les aliments qui renferment de très grandes quantités de vitamine A (notamment le foie et ses dérivés) puisque des apports excessifs peuvent nuire au fœtus.

Le sujet fait toujours rire quand j'en parle, mais avoir subitement envie d'un aliment particulier est-il possible ? Ou s'agit-il d'une légende urbaine ?

Mathilde écrit :

Si elles ont traversé les siècles, les fameuses envies de la femme enceinte ont peut-être quelque chose à voir avec la réalité. D'abord, on a terriblement faim, surtout les premiers mois. Une vraie faim, physiologique, qui fait qu'on ne supporte pas d'attendre ou qu'on est réveillée aux aurores par un besoin impératif. Et souvent, on a faim pour quelque chose de très précis, ou pour une saveur particulière : sucré, salé, acide. Certains disent qu'il s'agit de l'expression de besoins réels de l'organisme. Et que le corps exprime des manques bien spécifiques. Dans la mesure où votre alimentation est variée et équilibrée et que vous n'abusez de rien, il n'y a nulle raison de ne pas y succomber.

J'ai remarqué un nouveau produit sur les tablettes de la pharmacie. Il s'agit d'une boisson nutritive destinée aux femmes enceintes et commercialisée sous le nom de Similac Mom®. Qu'en pensez-vous ?

Mathilde répond :

Cette boisson est conçue comme un substitut de repas. Elle est présentée par le fabricant comme étant une « source pratique de protéines et d'énergie pour satisfaire les besoins accrus des femmes enceintes ». Elle est peut-être pratique, mais elle est coûteuse comparée à d'autres aliments. Si vous mangez une variété d'aliments et que vous prenez déjà un supplément prénatal sous forme de multivitamine, ce produit est loin d'être nécessaire.

L'essentiel

- L'alimentation de la femme enceinte gagne à être généreuse et variée. Ainsi, elle fournit les matériaux nécessaires à la croissance du bébé et au bien-être de la mère.

- « Manger pour deux » devrait évoquer une profusion d'éléments nutritifs plutôt qu'une abondance de nourriture.

- On a beau pester contre le *Guide alimentaire canadien*, c'est un allié précieux pour composer un menu et des repas équilibrés et nutritifs. Prenons-le comme point de repère. Il propose des légumes colorés, des fruits plutôt que des jus, du pain et des céréales de toutes sortes, avec prédominance de grains entiers, un peu de viande ou de volaille, une belle place au poisson, des légumineuses et des noix pour varier, des matières grasses de qualité, du lait, du fromage ou du yogourt. Il s'agit d'y mettre de la variété, de la couleur et quelques fantaisies. Le tour est joué !

- Les besoins en calories et en éléments nutritifs augmentent de façon graduelle à mesure que le bébé grossit et que le sang de la mère et le placenta prennent du volume. Manger souvent permet de satisfaire ces besoins nouveaux (de petits repas fréquents, de nombreuses collations).

- Il peut être difficile d'obtenir la quantité de fer recommandée durant la grossesse uniquement à partir de l'alimentation. On conseille aux femmes enceintes de prendre un supplément de fer (sous forme d'une multivitamine contenant aussi de l'acide folique et de la vitamine B_{12}).

- Les collations doivent être assez consistantes pour calmer la faim et permettre de patienter jusqu'au repas suivant. Les jus et boissons sucrées performent plutôt mal dans cette catégorie.

CHAPITRE 4

Des kilos, oui, mais combien?

On frappe à la porte. Une jolie rouquine paraît dans l'embrasure, la jeune trentaine, les yeux vifs, un grand sourire aux lèvres.

— J'arrive trop tôt? demande la nouvelle venue en regardant Mathilde.

— Non, pas du tout. Entre Sarah. J'allais partir, justement.

Mathilde se tourne vers moi et ajoute:

— Je te présente Sarah, la sage-femme de notre équipe. Vous aviez bien rendez-vous pour parler de poids et de kilos?

— Oui, tout à fait.

— Je vous laisse, alors. On se revoit plus tard.

Sarah dépose quelques documents et me tend la main par-dessus la table.

— On m'a dit que tu as beaucoup de questions sur le poids?

— C'est un thème tellement périlleux! Tout le monde parle d'obésité et voilà que les femmes enceintes, elles, sont invitées à gagner du poids. Comment réagissent-elles à tout ça?

— Le sujet entraîne toujours un peu d'affolement, observe Sarah. Encore ce matin, j'ai reçu cette jeune femme qui m'a dit : « J'ai faim. Je mangerais tout le poulailler tellement j'ai faim ! Mais pas question de me coller des kilos sur le dos. »

— Elle refuse de prendre du poids ?

— De prendre du poids, non. En général, les femmes savent combien c'est important. Elles craignent plutôt d'en prendre trop et de rester prises avec des kilos impossibles à déloger après la naissance de l'enfant.

— Je les comprends. Ce serait désastreux si chaque grossesse nous laissait 5 ou 10 kg sur les hanches.

— Très juste. Le but est donc de gagner « assez de poids », c'est-à-dire assez de kilos pour que le bébé grandisse bien et que la mère se sente en forme, mais d'éviter les surplus.

— Et c'est combien, « assez de poids » ?

— Je serais tentée de te laisser répondre.

— Heu… Je dirais 10 ou 12 kg. Peut-être un peu plus.

Je lève les épaules en signe d'incertitude.

— Ce serait parfait pour toi. Mais le chiffre ne conviendrait pas à tout le monde.

— C'est-à-dire ?

— Il varie selon que les femmes sont plus ou moins maigres ou corpulentes au moment de devenir enceinte.

— Ah bon ?

— Je vais te montrer.

Elle me tend une feuille sur laquelle est imprimé un tableau.

Gain de poids recommandé pendant la grossesse selon l'IMC au moment de devenir enceinte	
IMC avant la grossesse	**Grossesse simple**
Maigreur (< 18,5)	12,5 – 18 kg
Poids santé (18,5 – 24,9)	11,5 – 16 kg
Embonpoint (25,0 – 29,9)	7 – 11,5 kg
Obésité (> 30,0)	5 - 9 kg

— Le gain de poids idéal pendant la grossesse varie d'une femme à l'autre, selon la stature de chacune. On l'estime à partir de **l'indice de masse corporelle** (IMC) avant la grossesse, c'est-à-dire à partir du poids et de la taille de la femme avant qu'elle soit enceinte.

Derrière les mots

L'indice de masse corporelle (IMC) sert à estimer la corpulence des individus. On le calcule à partir du poids en kilogramme qu'on divise par la taille en mètre, élevée au carré (kg/m^2). On associe ensuite le résultat obtenu, qui oscille généralement entre 18 et 35, à l'une des quatre catégories déjà établies par le système canadien de classification du poids en tenant compte des risques pour la santé :

- Maigreur (IMC inférieur à 18,5);
- Poids santé (IMC entre 18,5 et 24,9);
- Embonpoint (IMC entre 25 et 29,9);
- Obésité (IMC de 30 et plus).

Des calculateurs de l'IMC, simples et faciles d'utilisation, sont disponibles sur plusieurs sites Internet.

Sarah pose l'index sur la ligne « Poids santé ».

— Un exemple : les femmes ayant un poids santé au moment de devenir enceintes sont invitées à prendre entre 11,5 kg et 16 kg pendant leur grossesse.

Elle glisse son doigt d'une ligne à l'autre.

— On recommande à celles qui sont minces et menues d'en gagner un peu plus (entre 12 kg et 18 kg) et aux femmes plus en chair, celles qui présentent de l'embonpoint ou de l'obésité avant de devenir enceintes, d'en prendre un peu moins (entre 5 kg et 11,5 kg).

— Je croyais qu'il fallait gagner au moins neuf kilos, quel que soit notre poids avant d'être enceinte.

— C'est bien ce qu'on disait !

— Plus maintenant ?

— Les recommandations ont changé en 2009. On s'est rendu compte que les femmes qui font de l'embonpoint ou de l'obésité sont plus à risque de complications si elles prennent beaucoup de poids durant leur grossesse. Elles s'exposent à donner naissance à de trop gros bébés, en plus d'avoir du mal à se départir des nouveaux kilos après l'accouchement.

— Ce n'est pas ce qu'elles souhaitent, j'imagine.

— Non, en effet. C'est pourquoi la recommandation a changé. La mère et le bébé s'en portent mieux, tant pendant la grossesse qu'après la naissance.

— Est-ce que certaines sont tentées de se mettre au régime durant leur grossesse ?

— Tentées, peut-être, mais je n'en connais aucune qui l'a fait. C'est bien trop risqué ! En suivant un régime amaigrissant, les femmes nuisent à la croissance de leur bébé, elles s'épuisent et, en plus, elles vident leurs réserves. Et chacun sait qu'une mère a besoin de réserves bien garnies pour allaiter et pour s'occuper d'un nouveau-né.

— À part le nombre total de kilos, que surveilles-tu auprès de ta clientèle?

— Le fait de gagner trop de poids d'un coup. Ou trop peu à la fois.

— Intéressant! Je t'écoute.

— En général, le poids augmente de façon graduelle, un peu à l'image du ventre qui s'arrondit: tout doucement au début, un peu plus vite par la suite. Ainsi, les femmes prennent deux ou trois kilos pendant les trois premiers mois de grossesse. Ensuite, le gain de poids est d'environ un demi-kilo par semaine.

— Il existe des variations, je présume.

— Exact. Certaines femmes prennent du poids un peu plus vite ou un peu plus lentement que ce que je viens de décrire. C'est normal, surtout si l'écart est léger ou passager.

— As-tu des cas réels?

— Quand une femme a des nausées importantes, par exemple, il arrive qu'elle perde du poids au début de la grossesse. Celle qui a des fringales incontrôlables durant la même période peut prendre quelques kilos d'un coup. En général, les choses se replacent d'elles-mêmes au cours des semaines et des mois qui suivent et l'équilibre se rétablit.

Sarah change alors de ton.

— Là où c'est inquiétant, c'est quand le gain de poids s'écarte de la moyenne semaine après semaine et mois après mois. Une femme qui continue de perdre du poids ou d'en gagner trop devrait consulter sans tarder. C'est possible d'intervenir et de corriger la trajectoire.

— Je peux garder le tableau sur le gain de poids?

— Certainement.

J'y jette un dernier coup d'œil avant de le ranger.

— J'y pense: plusieurs femmes se demandent pourquoi prendre tant de kilos si le bébé en pèse seulement trois ou quatre à sa naissance.

— Parce qu'il n'y a pas que le bébé! s'exclame Sarah. Pense à tout ce qui l'entoure: le liquide amniotique, l'utérus, le placenta. Tout ça a un poids!

Info-Plus

- Le poids de la mère avant de devenir enceinte et le nombre de kilos acquis pendant la grossesse ont tous deux un impact sur le poids du bébé à sa naissance. Ainsi, les femmes minces et menues sont plus nombreuses à donner naissance à un bébé de petits poids et cette tendance s'accentue lorsqu'elles prennent peu de poids pendant leur grossesse. À l'inverse, les femmes corpulentes ou obèses sont plus nombreuses à donner naissance à de gros bébés et le phénomène est encore plus marqué si elles gagnent beaucoup de poids durant leur grossesse.

- Le poids idéal du bébé à sa naissance est plus grand que 2,5 kg et inférieur à 4,5 kg. C'est à l'intérieur de cet intervalle que les complications et les problèmes sont les plus rares. En dessous de 2,5 kg et au-dessus de 4,5 kg, les risques de problèmes augmentent au fur et à mesure que le poids s'éloigne de ces valeurs.

— C'est bien vrai!

— Au sens propre comme au sens figuré, sourit-elle. Le bébé a besoin de ces structures pour grandir. Même chose pour la quantité de sang et de liquides qui circulent dans l'organisme de la mère. C'est pour servir le bébé qu'elle augmente. Il y a aussi le poids des seins et du lait qu'ils contiennent. Ils pèsent dans la balance, eux aussi.

Le blogue
——————————de la clinique

Mathilde écrit :

J'ajouterais quelques mots au sujet des régimes amaigris-sants. D'abord, ils réussissent rarement à produire une perte de poids durable. Cinq ans après un régime, 90 % des personnes qui ont maigri ont repris les kilos perdus, et souvent plus. Ensuite, ils sont reconnus pour perturber l'équilibre nutritionnel et pour provoquer un sentiment de privation qui pousse à l'excès.

Ces effets étant mieux connus, les professionnels de la santé sont de plus en plus nombreux à proscrire les régimes amaigrissants et à proposer d'autres avenues à leur clientèle.

De mon côté, j'ai observé, au fil des années et des rencon-tres avec les femmes enceintes, qu'une alimentation bonne et variée était la clé d'un gain de poids idéal. Manger à sa faim, choisir des aliments riches en éléments nutritifs, frais, peu transformés, permet généralement de gagner le nombre approprié de kilos. Une telle alimen-tation n'a pas besoin d'être coûteuse, mais d'être choisie avec soin.

L'essentiel

- Le poids que prennent les femmes durant leur grossesse varie d'une personne à l'autre, selon la stature de chacune. On l'estime à partir de l'indice de masse corporelle de la mère avant de devenir enceinte.

- Les femmes qui présentent une maigreur au moment de devenir enceintes sont invitées à gagner plus de kilos durant leur grossesse que celles qui ont un poids santé. Par contre, on propose à celles qui souffrent d'embonpoint et d'obésité d'en prendre moins.

- La prise de poids est graduelle : elle est plus lente au cours des trois premiers mois, puis s'accentue par la suite.

- Le gain de poids idéal est celui associé à une grossesse en santé, à la naissance d'un bébé de bon poids et à des réserves suffisantes pour une bonne récupération. C'est le but recherché.

- L'indice de masse corporelle de la mère avant d'être enceinte, de même que le poids qu'elle prend durant sa grossesse, ont tous deux une influence déterminante sur la croissance fœtale. Ils sont étroitement associés au poids de naissance du bébé ainsi qu'à plusieurs indicateurs de santé de la mère et du bébé.

CHAPITRE 5

Dans la cuisine

Lundi soir. Je rejoins Mathilde à la clinique. Tout de go, elle m'entraîne vers la salle où se tiendra l'atelier. Un grand gaillard attend à la porte, les cheveux en bataille, le regard pétillant. Mathilde est visiblement enchantée de le trouver là.

— Je te présente Julien, me dit-elle. Notre grand chef de cuisine.

L'homme semble amusé et ravi par le jeu de mots. Il me tend la main et serre la mienne avec enthousiasme.

Tout en nous invitant à la suivre dans la pièce, Mathilde explique :

— Julien a participé aux ateliers pour futurs parents, l'an dernier, avec son amoureuse, Édith, qui était enceinte de leur petit garçon. Il est devenu mon assistant dès notre première rencontre. C'est un homme qui a un savoir immense au sujet des aliments, de la façon de les choisir et de les apprêter. Il a surtout une énergie débordante pour en parler. Il partage tout, ses questions comme ses réponses, avec des mots simples, un langage très coloré et des trucs très pratiques. Bref, je ne saurais plus comment m'en passer.

— Arrête, Mathilde, réplique Julien sur un ton de fausse contrariété. Je pourrais devenir vaniteux.

Il se tourne vers moi et reprend son sérieux.

— J'adore ce genre d'ateliers, précise-t-il. Les couples qui attendent un enfant forment un public magnifique. Ils sont curieux de tout, ils débordent d'idées géniales, ils ont le goût d'essayer. C'est très stimulant de travailler avec eux.

Un homme et une femme font leur entrée, viennent le saluer puis vont s'installer dans la salle. D'autres personnes les suivent de près et, bientôt, toutes les chaises sont occupées.

Après avoir souhaité la bienvenue à tous et expliqué ma présence, Mathilde ajoute :

— Je suis très contente de vous retrouver. Tel que promis, on parle cuisine aujourd'hui et Julien est avec nous pour en discuter. Peut-être le connaissez-vous ? C'est lui qu'on voit cuisiner au beau milieu du restaurant *Les Airelles*.

Des voix s'élèvent, affirmatives.

— Je vous propose de commencer là où on s'est arrêté la semaine dernière, enchaîne Mathilde. Plusieurs d'entre vous avez parlé de la difficile conciliation autour des repas, du contenu de l'assiette, par exemple, ou du partage des tâches dans la cuisine…

Léger malaise si l'on en croit le grincement des pieds de chaises. Personne n'ose encore intervenir.

— Faites comme si on jouait au théâtre, lance Julien. Vous êtes comédien et vous incarnez un personnage. Ce sera plus rigolo. Et l'air sera plus léger quand vous retournerez à la maison tout à l'heure.

Une femme se décide à lever la main. D'un geste, Julien l'invite à parler.

— C'est presque toujours moi qui prépare les repas, commence-t-elle en prenant son air le plus éploré. Quand c'est son tour de le faire, poursuit-elle en fixant son voisin, il choisit à tout coup le restaurant ou le prêt-à-manger.

— C'est sûr, réplique l'homme, indigné. C'est ce que je réussis le mieux ! Je me suis déjà risqué à faire une lasagne. C'était un vrai désastre, je vous jure !

Un fou rire gagne la salle.

— Si je choisis le restaurant ou le surgelé, reprend-il, ce n'est pas une question de préférence… C'est pour une raison de facilité !

— Pareil pour moi, renchérit un autre homme au fond de la pièce. Je ne saurais pas comment faire autrement. Depuis que je suis haut comme ça, j'arrive à table, les repas sont prêts, je mange, la faim disparaît. Je n'ai jamais eu à préparer ou à faire cuire quoi que ce soit, jamais eu à attendre. C'est ce que je recherche aujourd'hui encore. C'est normal, j'imagine ?

— C'est comme si je t'avais engagé pour introduire la suite, rigole Julien. Tu décris très bien comment la plupart des gars conçoivent un repas : zéro préparation, zéro cuisson, zéro attente. J'ouvre la boîte, six minutes dans le four à micro-ondes et c'est prêt. Je mange et la faim disparaît. Qui dit mieux ?

Il hausse les épaules, l'air de dire : voyez, c'est l'évidence même !

— J'avoue que ce n'est quand même pas aussi bon que le civet de ma blonde, soupire l'homme à la lasagne.

— Tout juste ! confirme Julien. On réalise bien que la pizza a un petit goût de carton et que la couleur du dessert est suspecte. Avec le temps, on se rend compte que oui, la faim disparaît, mais on reste sur notre appétit, pas vrai ? Pour en sortir, rien de tel que de prendre possession de la cuisine et de faire des tests. Au fur et à mesure qu'on réussit un bon coup, qu'on goûte la différence, la nourriture en boîte déguerpit.

— Il faut combien de temps ? demande une fille.

De grands rires éclatent dans la salle. Julien rigole, lui aussi.

Ensemble, c'est mieux

— Depuis que je travaille avec Mathilde, j'ai vu beaucoup de gars commencer à cuisiner quand leur amoureuse est enceinte. Le fait de devenir parent est un incitatif très puissant.

On sent un peu de houle, comme s'il y avait des sceptiques dans la salle.

— C'est mon histoire à moi, remarque un grand homme blond à l'avant. Ma conjointe a eu des nausées terribles au début de sa grossesse et c'est moi qui lui fricotais ses repas. Jamais je n'aurais fait ça avant. Et j'ai plutôt bien réussi.

La femme assise à ses côtés hoche la tête pour montrer qu'elle est d'accord.

— Maintenant que les nausées sont terminées, reprend l'homme, il faut dire qu'elle est un peu moins heureuse de me voir dans la cuisine.

Sa conjointe prend un air gêné.

— Ça me tue toute cette farine quand il fait les muffins ! s'exclame-t-elle.

Le fou rire est général, tant du côté des femmes que des hommes.

— Les filles, les filles, insiste Julien en riant, vous réalisez le rôle que vous jouez ? Pour que les gars s'impliquent, il faut leur faire de la place dans la cuisine. Les encourager ! Saluer leur créativité ! Et surtout, accepter que le poulet n'ait pas le même goût que le vôtre. Parce que c'est IMPOSSIBLE !

Les garçons jubilent. Encore un peu et on les verrait applaudir.

— Les hommes ont plein de compétences, ajoute Julien. Elles sont juste différentes de celles des filles. Et c'est tant mieux. Il faut savoir profiter de cette diversité. Plus tard, ce sont les enfants qui vont en bénéficier : le pain aux trois épices de leur mère, le couscous royal de leur père.

— Ce sera un couscous sans légumes, alors, dit une femme sur un ton très calme.

D'un geste de la main, Julien l'invite à continuer.

Les légumes réinventés

— J'ai un conjoint adorable, poursuit-elle, mais tellement difficile. Il lève le nez sur tous les légumes.

— Je repars du même constat que tantôt, observe Julien. En général, les hommes recherchent une nourriture qui exige le minimum de préparation et qui soulage la faim de façon rapide et efficace. Admettez que le légume se classe plutôt mal, ici. Comme objet décoratif, ça va. Autrement, il ne répond à aucun des critères mentionnés.

Silence attentif dans la pièce.

— Un truc pour ramener les légumes dans l'assiette, c'est de les joindre à l'agréable et de cesser de les mettre à l'écart.

— C'est-à-dire ?

— On a tendance à offrir les légumes à part, enchaîne Julien, vous savez, un petit monticule de pois verts ou une salade verte à côté.

Que oui, font la tête et les yeux des garçons !

— Voyons une autre façon de faire. Les hommes ont tous un type de plat qui les appelle particulièrement, une texture ou une saveur qui les font saliver. Pour certains, c'est la pizza…

Dans un grand geste théâtral, un homme fait savoir que c'est son cas.

— Les hommes comme lui, déclare Julien en le pointant du doigt, sont prêts à accueillir la pizza sous toutes ses formes. D'abord qu'il y ait une pâte, de la sauce tomate et du fromage.

L'homme lève le pouce pour montrer qu'il abonde dans le même sens.

— D'autres aiment ce qui tient dans la main. Apportez-leur tous les sandwichs de la terre. Ils seront ravis, peu importe que ce soit un hamburger, un sous-marin, un *wrap*.

Quelques personnes font signe que oui.

— Finalement, continue Julien, il y en a qui préfèrent la texture réconfortante des soupes et des ragoûts. On va se servir de cette préférence comme point de départ pour introduire les légumes. On en essaie de toutes sortes, et aussi de nouveaux, pour garnir la pizza de monsieur, fait-il en désignant l'homme en question. On y met des courgettes, des oignons, des tomates, des cœurs d'artichaut, des olives, des asperges. De la même façon, on laisse les légumes se faufiler dans les pâtes sauce rosée, dans les *burgers*, les sandwichs, le riz pilaf ou les crêpes farcies. L'idée, c'est de saisir toutes les occasions de les intégrer dans les recettes, de les joindre à l'agréable, comme on disait tantôt, plutôt que de vouloir toujours les servir à part.

Tout le monde est concentré, imaginant ce qui serait le plus savoureux.

— Une autre façon d'agrémenter les légumes est de jouer avec les modes de cuisson et avec les saveurs. Grillés au four avec un peu d'huile d'olive et des herbes, les légumes ne goûtent pas du tout la même chose que s'ils sont cuits à l'eau ou à la vapeur. Même chose si l'on y ajoute du jus de citron, du gingembre ou de la sauce soja. Les légumes les plus fades goûtent bon tout à coup. Il faut oser les mélanges.

— Jouer avec les textures est une autre idée géniale, intervient Mathilde. Les légumes ont un caractère tout à fait différent quand ils sont servis sous forme de soupes ou de potages.

— Ou sous forme de sorbet, ajoute Julien.

Les yeux de Mathilde s'éclairent.

— Tout à fait. C'est une invention magnifique, le sorbet aux légumes !

Le coût des légumes

— Notre problème à nous n'est pas tant d'aimer les légumes que de réussir à en acheter, confie une jeune femme installée à l'avant. Avec nos prêts et bourses d'études, c'est difficile de s'en procurer toutes les semaines.

— C'est vrai que les légumes peuvent gruger le budget, convient Mathilde, et qu'il faut user de créativité pour en avoir chaque jour dans l'assiette. Aux cuisines collectives, on a émis quelques idées, dont la première est évidemment de suivre les saisons et les spéciaux. On se sert entre autres du tableau de disponibilité des fruits et légumes, vous savez, celui qui en présente les variétés et les mois de l'année durant lesquels ils sont disponibles ?

On sent plus d'hésitation que de certitude dans la salle.

— Le tableau est publié sur le site Internet du ministère de l'Agriculture, précise Mathilde. Je vous enverrai le lien, ce soir[1]. Le tableau est utile non seulement pour profiter des meilleurs prix, mais aussi de produits plus savoureux puisqu'ils sont plus frais. On n'a qu'à penser aux pommes de septembre comparées à celles de février.

Se tournant vers le chef, Mathilde poursuit.

— Julien nous a également donné un bon coup de main en nous proposant toutes sortes de façons de cuisiner les légumes bon marché. Il nous a trouvé une foule de recettes qui incluent du chou, par exemple, du navet, de la courge et des carottes, ce qui permet d'en manger sans se lasser quand les autres légumes sont trop dispendieux.

---

1. mapaq.gouv.qc.ca/fr.Publications/FruitsLegumes-duquebec.pdff

— J'ai peu de mérite, assure Julien. Avez-vous remarqué comme les légumes racines ont la cote ces temps-ci ? Les chefs les remettent sur la table et de belle façon. Je n'ai eu qu'à réunir les recettes et à y mettre mon grain de sel. Le beau rôle, quoi !

Il marque un temps d'arrêt, puis reprend aussitôt.

— J'enchaînerais avec les légumes congelés, si tu permets, Mathilde.

Elle fait signe que oui.

— Les légumes congelés constituent une option intéressante, eux aussi. Surtout pendant l'hiver, quand le prix des légumes frais est élevé. Il peut s'agir de légumes de saison achetés à bon prix et qu'on a soi-même congelés, ou encore de produits commerciaux. Dans ce cas, je profiterais des soldes pour faire provision.

— Il faut ajouter, reprend Mathilde, qu'aucun légume n'est irremplaçable. On peut toujours lui trouver un substitut. Dans les recettes comme dans le menu.

Avant de partir

— Je prends quelques minutes pour vous parler de réserves et de planification, dit Julien. Je vois à la rondeur des ventres qu'il est encore tôt pour en parler, mais l'arrivée d'un nouveau-né amène quelques changements dans l'horaire de la journée…

Hochements de tête compréhensifs.

— … et aussi dans la façon de disposer du temps et de l'énergie. Si vous y pensez avant la naissance du bébé, vous venez de gagner plusieurs points, vous savez. Quand le congélateur contient déjà quelques réserves, la vie paraît plus facile, d'un coup. Je vous conseille donc de faire des provisions, quand vous en avez l'occasion, et de demander l'aide de votre entourage. N'hésitez pas à faire appel à vos amis et aux membres de votre famille pour vous préparer de bons petits plats maison. C'est un magnifique cadeau… surtout si le tiroir de pyjamas ne ferme déjà plus !

Le temps de réaction est un peu lent.

Mathilde regarde sa montre et lève les sourcils, l'air étonné.

— J'ai encore dépassé l'horaire prévu, lance-t-elle, désolée. Moi qui vante les vertus du sommeil, je devrais être la première à surveiller l'heure.

Elle se tourne vers le chef cuisinier.

— Mon cher Julien, je te tiens en partie responsable de notre retard, lui lance-t-elle en riant. C'est un vrai délice de t'écouter et on ne voit même plus le temps passer !

L'assemblée applaudit chaudement.

— Je te remercie du fond du cœur, ajoute Mathilde.

— Est-ce que je peux poser une question ? demande une femme en levant timidement l'index.

— Bien entendu, répond Mathilde.

— Mon frère prétend que les femmes enceintes devraient éviter les aliments qui contiennent des œufs crus.

— Je laisse la parole à Julien, déclare Mathilde. C'est lui qui donne le cours sur l'hygiène alimentaire à ses collègues des écoles et des hôpitaux. Il a les compétences nécessaires pour répondre à cette question.

— Votre frère a raison, confirme Julien. C'est à cause d'une vilaine bactérie qui peut être présente dans les œufs. On ne la souhaite à personne, mais encore moins aux femmes enceintes. C'est pourquoi on leur recommande de faire cuire les œufs avant de les manger, ce qui détruit la bactérie du même coup. Y a-t-il un aliment particulier auquel vous pensez?

— Je pensais au lait de poule. C'est ce que je buvais quand j'ai entendu parler d'œufs crus. Y a-t-il d'autres aliments qui en contiennent?

— Pas tellement, fait Julien. Quelques sauces et vinaigrettes maison, comme la vinaigrette césar, par exemple. Je vous conseillerais d'utiliser des substituts d'œufs pasteurisés dans les recettes qui nécessitent des œufs crus.

Le blogue
de la clinique

Il me semble qu'on gonfle le nombre de calories en ajoutant de l'huile d'olive aux légumes.

Mathilde écrit :

C'est tout à fait juste, mais quelques nuances s'imposent. D'abord, il s'agit d'une méthode parmi d'autres de cuisiner les légumes. Je propose de l'utiliser à l'occasion plutôt qu'à chaque repas. Ensuite, on n'a pas besoin de mettre beaucoup d'huile. Un filet suffit à rendre les légumes bons et savoureux. Enfin, si c'est une façon de faire accepter les légumes à ceux qui les boudent autrement (ou à ceux qui ne connaissent des légumes que les frites), les avantages dépassent de loin le nombre de calories qu'on y ajoute.

L'essentiel

- De façon générale, les hommes sont attirés par les aliments rassasiants, faciles à apprêter et abordables. Ils ont moins tendance à planifier que les filles. Typiquement, ils préparent leur repas lorsque la faim se manifeste.

- Le fait de devenir parent change un peu les perspectives. C'est le temps de développer de nouvelles compétences, d'occuper la cuisine, de faire des essais.

- Pour favoriser la consommation de légumes, on les glisse partout, dans les sandwichs comme dans les pizzas, on y ajoute du piquant, des fines herbes, de la couleur, on joue avec les modes de cuisson et avec les textures. Tout pour les rendre craquants.

- Aucun légume n'est irremplaçable. Pour profiter des légumes en été comme en hiver, il suffit de choisir des produits de saison ou en solde, de remplir le congélateur quand les prix sont bas, de dénicher ou d'inventer des recettes pour cuisiner avec les légumes bon marché.

- C'est une bonne idée de faire provision avant l'arrivée du nouveau-né et de faire appel à l'entourage, le moment venu.

CHAPITRE 6

Au supermarché

Les poissons

Quelques jours plus tard, j'ai rendez-vous avec Mathilde au supermarché.

— On fait comme si tu étais enceinte et je te guide dans le supermarché, d'accord? demande-t-elle, un sourire espiègle sur les lèvres. On commence ici… par les poissons. Je te suggère de les inscrire souvent au menu. Ils sont des alliés importants durant la grossesse: bons pour la mère, bons pour le bébé, bons au goût.

— Je croyais qu'il valait mieux s'en passer, à cause de leur contenu en mercure.

— Le mercure représente un réel danger pour le bébé, tu as raison, mais il est présent dans quelques espèces seulement, surtout dans les poissons qui se nourrissent d'autres poissons.

— C'est-à-dire?

— Les grands prédateurs des mers comme le requin et l'espadon. Du côté des poissons d'eau douce, ceux qui contiennent le plus de mercure ont aussi en commun de se nourrir d'autres poissons, par exemple l'achigan, le doré jaune et le brochet.

— Je ne connais aucun de ces poissons. J'ai déjà entendu leur nom, c'est certain, mais je n'ai goûté à aucun de ceux que tu as nommés.

— Comme la plupart des gens. Les dernières enquêtes ont montré que ces poissons sont très peu consommés. Tu as donc raison, comme femme enceinte, de te préoccuper de la présence de mercure, mais garde en tête que le marché peut t'offrir une grande variété de produits qui en contiennent peu.

— …

— Et les poissons valent la peine sur le plan nutritif. C'est un aliment qui renferme des protéines de haute qualité, de la vitamine D, une variété de minéraux comme le magnésium, le fer et le cuivre, et moins de gras que la viande. Quand il en contient, ce sont des gras polyinsaturés, dont les oméga-3.

— Les fameux oméga-3 !

— Les fameux oméga-3, comme tu dis. On sait que le fœtus en a besoin pour se développer, particulièrement ceux que contient le poisson (l'acide docosahexaenoïque, ou ADH lorsqu'il est abrégé). La façon la plus efficace de lui en fournir est de consommer des poissons qui en sont riches une ou deux fois par semaine.

— Lesquels ?

— Les poissons gras comme le saumon, le maquereau, la sardine, le hareng, la truite.

— Et le thon ?

— Le thon est un cas particulier. Arrêtons-nous, veux-tu ?

Mathilde fouille dans son sac à la recherche de son iPod Touch®, démarre l'appareil et promène ses doigts sur l'écran.

— Le thon en conserve fait partie des poissons les plus consommés au Québec. Comme il existe une grande variété de produits sur le marché, nous avons préparé un aide-mémoire pour notre clientèle. Ah, le voici.

Elle me tend l'appareil. Je consulte l'information qui apparaît à l'écran.

Le thon mis en conserve est généralement plus jeune et de plus petite taille que le thon frais ou congelé, ce qui signifie que sa concentration en mercure est beaucoup plus faible. Cependant, le taux de mercure varie d'une sorte de thon en conserve à l'autre.

- Le **thon blanc (thon germon)** contient de plus grandes quantités de mercure que le thon pâle.

À titre préventif, Santé Canada recommande à la femme enceinte ou qui prévoit le devenir ainsi qu'à la femme qui allaite de se limiter à **quatre portions de thon blanc en conserve par semaine** (rappelons qu'une portion du *Guide alimentaire canadien* équivaut à 75 g, 2 ½ onces, 125 ml ou ½ tasse.).

- Le **thon pâle en conserve**, quant à lui, contient d'autres espèces de thon, comme le listao, le thon à nageoires jaunes ou le thon mignon, dont les concentrations en mercure sont plus faibles. Il ne fait l'objet d'aucune mise en garde.

— Intéressant, n'est-ce pas ?

— L'appareil ou le texte?

— Le texte, madame la journaliste. Le texte, répète-t-elle en riant.

— Oui, très instructif. Je retiens que le thon pâle constitue le meilleur choix parmi les produits en conserve, mais dis-moi, est-ce exact de penser qu'il vaut mieux éviter le thon frais pendant la grossesse?

— L'éviter, non. Disons que c'est un moins bon choix à cause du taux de mercure qui risque d'être plus élevé. Les thons choisis pour être vendus frais ou congelés sont des spécimens plus gros, donc plus âgés et qui ont accumulé plus de mercure.

Elle examine les poissons étalés sur la glace.

— Alors, que mets-tu dans ton panier?

Embêtée, je m'adresse à celui qui se tient derrière le comptoir. Il me propose du maquereau, un poisson que je n'ai jamais goûté, et quelques conseils pour l'apprêter.

— Très bon choix, commente Mathilde en se dirigeant vers l'allée des produits laitiers.

Au comptoir des produits laitiers

— Je n'en reviens pas comme la gamme de yogourts a changé ces derniers temps.

— C'est impressionnant, n'est-ce pas? s'exclame Mathilde. Je dirais que l'arrivée des probiotiques y a contribué pour beaucoup.

— Tu penses que c'est un avantage?

— Pour les fabricants, c'est certain!

— Ce n'est pas ce que je voulais dire, tu le sais bien. Je parlais des consommateurs en général, et des femmes enceintes en particulier.

— Je rigole. Disons d'abord que les yogourts probiotiques ont une bonne valeur nutritive. Ensuite, la quantité et le type de bactéries qu'ils contiennent sont reconnus pour convenir aux femmes enceintes. Aucun effet secondaire ou indésirable n'a été rapporté. Finalement, les probiotiques sont réputés pour aider les intestins à faire leur travail. Alors, oui, les femmes enceintes peuvent tirer profit des yogourts probiotiques. Ce n'est pas nécessaire, mais c'est sans danger.

Nous jouons toutes les deux aux inspectrices, soulevant les contenants et examinant les étiquettes

— Que choisirais-tu? demande Mathilde au bout de quelque temps.

— Avec ce que j'ai appris au cours des derniers jours, j'irais vers les produits les plus simples possibles.

Je perçois le sourire ravi de Mathilde.

Sans même lire les ingrédients, la longueur de la liste me permet d'un seul coup d'œil de retenir ou d'écarter un produit.

— Je prends ces deux-là, tiens. Un contenant de yogourt nature, trois ingrédients, belle simplicité, et un contenant de yogourt aux bleuets. Que je mélangerai moitié-moitié. Le cœur et la raison.

— Je t'engage.

Elle s'esclaffe. Nous avançons vers le réfrigérateur contenant les laits.

— Le marché des laits s'est agrandi, lui aussi. On trouve différentes variétés de lait de vache, bio comme celui-ci, ou avec oméga-3 comme celui-là, mais aussi toute une gamme de produits végétaux : les boissons de soja, de riz ou d'amandes.

— Ce sont de bons choix ?

— La plupart de ces boissons sont enrichies et renferment une quantité de vitamines et de minéraux qui est équivalente à celle du lait. La teneur en protéines est variable, par contre. Seule la boisson de soja en contient une quantité comparable à celle du lait de vache. Les autres ne sont pas recommandées comme substituts du lait parce qu'elles ne contiennent pas assez de protéines.

— Que penses-tu de celle-ci, à saveur de vanille ?

— Elle contient beaucoup de sucre comparé à la boisson « nature » ou « originale ». C'est vrai pour la vanille, mais aussi pour les autres saveurs comme celle au chocolat.

— Dis donc, que veut dire « %VQ » dans le tableau de valeur nutritive, ici ?

— C'est le pourcentage de la valeur quotidienne, c'est-à-dire la quantité de l'élément nutritif que tu retrouves dans une portion de l'aliment, par rapport à celle qui est recommandée dans une journée. C'est une donnée intéressante, souvent plus commode que le nombre de grammes ou de milligrammes. Pour une lecture rapide, je conseille aux gens de retenir ceci : en bas de 5 %, c'est peu, au-dessus de 15 %, c'est élevé. Pour les gras, les gras saturés, le sucre, on tend vers le plus bas. Pour les protéines, les vitamines, les minéraux et les fibres, on vise 15 % et plus.

— Intéressant, en effet.

— C'est aussi très utile pour comparer des produits de la même famille, la teneur en gras de différents yogourts, par exemple.

Jus de fruits et boissons aux fruits

Nous arrivons dans l'allée des jus et autres boissons à base de fruits.

— Parlant de produits qui se sont multipliés…, fait remarquer Mathilde. L'autre jour, une femme est venue à la clinique. En discutant avec elle, j'ai compris que ses enfants et elle buvaient uniquement des boissons à saveur de fruits. Elle a été renversée d'apprendre que ce n'était que du sucre et de l'eau, auxquels on ajoutait saveur et colorants. Elle était certaine qu'il s'agissait de fruits. « C'est écrit " orange " sur l'étiquette », m'a-t-elle dit !

— Il faut avouer que ce n'est pas simple de s'y retrouver. Regarde le nombre de produits et la gamme de prix. On s'y perd !

— Tu as tout à fait raison.

— Et le prix des boissons est beaucoup moins élevé que celui des jus.

— Peut-être, mais ce n'est que de l'eau et du sucre ! Et ce n'est pas ce qu'on cherche pour les femmes enceintes. On vise plutôt des produits riches en éléments nutritifs. À ce titre, le meilleur choix dans cette allée est le jus de fruits à 100 %.

— Peu importe le type ? Je veux dire que le jus soit fait ou non de concentré ?

— La valeur nutritive est la même. Ce sont plutôt les arômes et le goût qui diffèrent d'un type de jus à l'autre. C'est donc une question de choix personnel.

— Que penses-tu de ce jus avec des oméga-3 ?

— Laisse-moi voir. Je choisirais une portion de saumon, à ta place. Il te faudrait plus de 30 verres de ce jus pour obtenir la quantité équivalente d'oméga-3.

— D'accord, je prends le poisson.

Info-Plus

Les fruits frais offrent plus d'avantages nutritifs que les jus. Ils contiennent plus de fibres ainsi que plusieurs vitamines, minéraux et antioxydants qui se cachent dans leur pelure ou tout près.

Les autres boissons

Quelque chose, au bout de l'allée, vient d'attirer le regard de Mathilde.

— Je pense qu'il s'agit des boissons énergisantes. Tu m'accompagnes ?

Avec une curiosité évidente, elle s'empare des contenants, inspecte les étiquettes.

— C'est un rayon où je ne m'arrête pas avec les femmes enceintes quand on fait notre tournée du supermarché. Je devrais l'inscrire sur mon trajet, dorénavant.

— Pourquoi ?

— C'est un produit de plus en plus populaire et les femmes enceintes ont beaucoup de questions à son sujet.

— Que leur dirais-tu si tu les amenais ici ?

— Heu… Je leur dirais qu'au sens de la loi, les boissons énergisantes sont considérées comme des produits de santé naturels, et non comme des aliments ou des médicaments. **En théorie**, elles doivent obtenir un numéro de produit de santé naturel (NPN) avant d'être commercialisées. C'est la preuve que Santé Canada a étudié leur dossier et considère qu'elles sont conformes à la loi et non dangereuses pour la santé. **En réalité**, très peu ont fait l'objet d'une analyse et d'une autorisation de mise en marché. Sur la quinzaine de produits sur les tablettes aujourd'hui, deux seulement portent un NPN.

— Montre-moi.

— Le numéro se trouve en bas du contenant, juste ici, tout près de l'indication « produit de santé naturel ».

— Je vois.

— Malgré cette lacune, poursuit Mathilde, l'étiquette de tous les produits comporte un message clair à l'intention des femmes enceintes.

— Vraiment ?

— Regarde celui-ci.

Il est écrit : « Mise en garde : contient de la caféine. Déconseillé aux enfants, aux femmes enceintes, aux femmes qui allaitent et aux personnes sensibles à la caféine. » Certains fabricants vont même jusqu'à inscrire « aux femmes enceintes ou pouvant le devenir ».

Mathilde remet les canettes en place.

— La mise en garde vise la caféine, mais elle pourrait tout aussi bien s'appliquer à d'autres ingrédients des boissons énergisantes. On connaît très peu de chose sur la taurine, par exemple, ou sur le glucuronolactone, et encore moins sur les effets à long terme d'une consommation régulière.

Derrière les mots

Les boissons énergisantes diffèrent des boissons pour sportifs. Ces dernières (Gatorade®, Powerade®, par exemple) sont conçues pour remplacer les éléments perdus lors d'un exercice physique soutenu, c'est-à-dire de l'eau, des électrolytes (sodium, potassium) et du sucre. Sans être indispensables, elles peuvent être utiles dans le cas d'un exercice physique de plus d'une heure pour favoriser la réhydratation et refaire le plein d'énergie. Les boissons énergisantes, quant à elles, contiennent des substances stimulantes comme la caféine ou l'extrait de guarana. On y ajoute parfois de la taurine, différents mélanges de vitamines et d'autres ingrédients dits naturels (ginseng, échinacée, glucurono-lactone). Sur l'étiquette, on allègue qu'elles apportent énergie, performance et vitalité, des effets probablement induits par la forte concentration de caféine et de sucre.

Les pains

Mathilde consulte bientôt sa montre.

— J'ai rendez-vous à la clinique dans une demi-heure. Il nous resterait juste assez de temps pour faire un saut du côté des pains. Tu es partante?

— Bien sûr!

— On pourrait parler longuement des pains étant donné la quantité et la variété de produits qui sont offerts. Toutefois, si j'entraîne les femmes enceintes dans cette allée, c'est surtout pour aborder la question des fibres.

— Bonne idée!

— La constipation est un problème courant de la grossesse, d'où l'importance des fibres. Ici, on privilégie les pains faits de farine de grains entiers et on laisse tomber ceux qui renferment de la farine blanche dans les premiers ingrédients.

— Que dis-tu de ces pains blancs supposément très riches en fibres?

— Les grains entiers sont beaucoup plus intéressants que les concentrés de fibres qu'on ajoute à ces produits. Personnellement, je trouve qu'à chaque manipulation, l'aliment perd un peu de ses qualités. Le grain des céréales contient un mélange unique d'éléments nutritifs. Quand on lui en retire une partie, comme le germe ou le son, on ne change pas seulement sa couleur ou sa texture. On modifie également sa valeur nutritive, on change sa combinaison. Tu as beau lui ajouter des fibres, de la vitamine B, de la saveur, ce n'est plus pareil. Ce n'est plus le même produit.

— Je comprends.

— Même chose pour les légumes. Ou pour les poissons. Les meilleurs sont ceux qui ont subi le moins de transformations. J'ajouterais même que ceux qu'on a laissés grandir à leur rythme sont meilleurs que ceux qu'on a forcés.

— J'ai une dernière question avant de te laisser filer, Mathilde : insisterais-tu sur le contenu en fibres des pains et céréales, même en sachant que la femme enceinte en obtient une grande quantité à partir des fruits et des légumes qu'elle mange ?

— Les pains et céréales contiennent un type de fibres qu'on ne retrouve pas dans les fruits et légumes. Les deux types de fibres préviennent la constipation, mais ils agissent de façon différente... et complémentaire. Allez, je me sauve. On se revoit à la clinique.

Info-Plus

Sur l'étiquette des produits alimentaires, les ingrédients sont listés par ordre d'importance. Plus un ingrédient se situe au début de la liste, plus l'aliment en contient. Plus il apparaît à la fin de la liste, plus sa quantité est faible.

L'essentiel

Le supermarché offre une gamme de produits qui est immense et en perpétuel changement. On ne se trompe jamais en choisissant les produits les plus simples, ceux qui se rapprochent le plus de l'aliment d'origine, ceux qui ont subi le moins possible de manipulations et de transformations.

Les étiquettes des produits alimentaires comportent de nombreuses informations. Pour un décryptage rapide :

- Parcourir la liste des ingrédients : la plus courte est souvent un bon choix ;

- Se rappeler que les ingrédients sont inscrits par ordre d'importance (le premier sur la liste étant présent en plus grande quantité) ;

- Jeter un coup d'œil au tableau de valeur nutritive, à la colonne « % VQ ». Retenir que 5 %, c'est peu, et que 15 %, c'est élevé. Pour le sucre et les gras, on vise le plus bas, et pour les protéines, les vitamines, les minéraux et les fibres, on vise le plus haut.

CHAPITRE 7

La listériose

— J'ai besoin d'aide, Julien.

— Viens me rejoindre au restaurant. C'est l'heure creuse et presque tout est déjà en place pour le souper.

— J'arrive.

Le chef m'accueille avec une poignée de main énergique et m'entraîne vers une petite table, tout au fond du restaurant.

— Qu'est-ce que je peux faire pour t'aider? commence Julien.

— Si je te dis listériose, qu'est-ce qui te vient en tête?

Il adopte une pose théâtrale.

— Un sale microbe qui peut se cacher dans tes aliments et te rendre malade, malade comme une bête.

C'est difficile de ne pas rire.

— Je blague, ajoute-t-il. Qu'est-ce qui t'inquiète?

— Je viens de recevoir un message des laboratoires de Santé Canada. Avec une liste d'aliments que les femmes enceintes devraient surveiller.

— Et alors?

— Presque toutes les charcuteries font partie de la liste.

— Quel est le problème?

— Ce sont les lunchs qui m'inquiètent. Qu'est-ce qu'on met dans les lunchs, dans les sandwichs, dans les salades?

— Trop facile, ta question! Admets qu'on n'a pas vraiment besoin de ces aliments-là pour vivre. Viens. Montre-moi ta liste. On va leur trouver des remplaçants.

Sur la liste, il y a les charcuteries (jambon et autres viandes tranchées, saucisson de Bologne), mais aussi les viandes à tartiner (pâtés de campagne, pâtés de foie, cretons), sauf celles qui sont en conserve.

— C'est moins pire que je pensais. Il y a mille façons de faire un sandwich ou de se composer un lunch sans ces ingrédients. Tu en connais, je suis certain! Commence! Allez!

Son invitation me laisse d'abord perplexe, puis je fouille dans mes pensées. Faussement impatient, Julien fait tournoyer son index pour m'inviter à accélérer.

— D'accord, d'accord. Je suggère le thon en conserve. C'est mon passe-partout favori. Il fait merveille dans une salade et je l'aime bien enroulé dans un pita.

— Bon. Vois-tu? Ce n'est pas si compliqué! Moi, je propose les œufs. Très polyvalents, aussi.

— C'est étrange, je croyais que les œufs et la listériose étaient copain-copain.

— Tu n'as pas tout à fait tort, ni tout à fait raison. Les œufs sont bel et bien associés à une intoxication alimentaire, mais pas à la listériose. Et ce sont les œufs crus qui représentent un danger. Quand ils sont cuits, les œufs ne causent pas de problème. Et comme le thon, ils accompagnent aussi bien le pain que la salade. Le chef Stéphano en fait même une pizza déjeuner. À ton tour.

— J'y vais avec le fromage.

— Si mon souvenir est bon, il doit y avoir quelques fromages sur ta liste d'aliments à éviter.

— Attends voir. Oui, tu as raison. C'est écrit qu'il vaut mieux éviter les fromages faits de lait cru ou non pasteurisé, et les fromages à pâte molle, comme le brie ou le camembert.

— Bon. Ici encore, c'est relativement facile de s'en passer le temps d'une grossesse. Il y en a tant d'autres ! Toute la gamme de pâte ferme, par exemple... Allez-y, madame, je vous laisse en nommer.

— Hum... les cheddars, le gouda, j'imagine...

D'un signe de la tête, il approuve et m'encourage à continuer (encore l'index qui roule !)

— Le gruyère..., l'emmental...

— Le parmesan, la raclette, les tommes, poursuit-il en riant. Vois-tu ? Il y en a des dizaines. Très facile de se passer des pâtes molles.

Il éclate d'un grand rire sonore, très fier de son jeu de mots.

— Je reprends, annonce Julien, sérieux. Pour les sandwichs et les salades, nous avons donc les poissons en conserve, les œufs, les fromages à pâte ferme. On pourrait aussi les confectionner avec les restants de viande ou de poulet, le tofu, les purées de légumineuses, comme le houmous. C'est quand même pas mal comme variété. On a ensuite tous les autres types de lunch : les soupes, les plats de riz ou de pâtes, les couscous, les ragoûts.

Il s'arrête, l'air de chercher s'il n'a rien oublié.

— Que manquerait-il à ton bonheur avec un choix pareil?

— Rien. Tu es génial!

— Tu me repasses ta liste?

Il l'examine de nouveau, puis il ajoute:

— J'oubliais de mentionner que si elles sont cuites, les viandes tranchées ne présentent pas de danger. Les femmes enceintes peuvent en consommer.

— Par exemple?

— Supposons du jambon dans une pizza, un croque-monsieur, une quiche, une omelette. Le jambon est cuit et, par le fait même, sans danger. Même chose pour les fromages à pâte molle, les saucisses à hot-dog ou le poisson fumé. On les fait cuire et le tour est joué.

— Parlant de poisson fumé, les femmes enceintes peuvent-elles manger des sushis?

— Les poissons peuvent contenir des bactéries, des virus et même des parasites que seule la cuisson peut détruire. Il est donc conseillé aux femmes enceintes d'éviter de consommer du poisson cru, fumé ou mariné. Cette recommandation ne les empêche pas de fréquenter le comptoir de sushis, si elles commandent des produits autres que ceux qui contiennent du poisson cru ou fumé.

De retour à la maison, j'écris à Rachèle, histoire de lui raconter mon entretien avec Julien et d'obtenir aussi son opinion sur la question. Je termine en lui avouant que c'est toujours un peu gênant pour moi d'aborder un sujet par des aliments à éviter et une longue liste d'interdits.

« Les femmes enceintes ne le voient pas ainsi, réplique Rachèle dans son message de retour. Pour elles, il s'agit bien plus d'une précaution que d'une restriction. D'emblée, elles vont choisir d'autres aliments que ceux qui sont sur la liste, parce que pour elles, il n'y a pas de risque à prendre. »

Rachèle ajoute ici des précisions intéressantes : « La listériose affecte les femmes enceintes et les nouveau-nés de façon démesurée. Les cas de listériose y sont en effet plus fréquents que dans le reste de la population et l'infection peut avoir des conséquences graves (entraîner une fausse couche, par exemple, l'accouchement d'un bébé mort-né ou prématuré, ou encore la naissance d'un enfant gravement malade). Les femmes enceintes préfèrent de loin une liste d'aliments à éviter. D'autant plus que ce n'est pas pour la vie et, comme le mentionne Julien, ce sont des aliments dont il est facile de se passer. »

Elle termine en écrivant : « Pour réduire le risque de contracter la listériose ou d'autres infections bactériennes, il faut aussi rappeler aux femmes enceintes l'importance des mesures d'hygiène de base : le lavage des mains, la conservation des aliments à la bonne température, une cuisson suffisante des viandes, volailles et poissons, le nettoyage des surfaces de travail, etc. Ces mesures sont publiées sur le site de Santé Canada, à la rubrique " Salubrité des aliments ". »

L'essentiel

- Les produits au lait cru ou non pasteurisé, les fromages à pâte molle et certaines viandes tranchées ou à tartiner font partie d'une liste d'aliments que la femme enceinte devrait éviter en raison des risques de listériose.

- On peut consulter cette liste sur le site Internet de Santé Canada (à la rubrique « Salubrité des aliments », section « Listériose »).

- Les poissons crus ou fumés, de même que les viandes crues ou pas assez cuites, peuvent renfermer non seulement la bactérie responsable de la listériose, mais aussi d'autres microbes indésirables (E coli, salmonelles). Les œufs crus, quant à eux, peuvent contenir des salmonelles.

- La listériose touche les femmes enceintes et les nouveau-nés de façon disproportionnée et l'infection peut avoir des conséquences graves.

CHAPITRE 8

À prendre ou à laisser?

Le café… et les autres sources de caféine

La sonnerie du téléphone me fait sursauter.

— Oui, bonjour.

— C'est Mathilde, de la clinique. Tu cherchais à me joindre?

— Tu es gentille de rappeler si rapidement. J'ai complètement oublié de te parler du café.

— Je n'y ai pas pensé non plus, fait-elle à l'autre bout de la ligne. Heureusement que tu es là! Le sujet soulève tant de questions.

— J'en avais une, justement. Est-ce que les femmes devraient s'abstenir de boire du café durant leur grossesse?

Mathilde n'hésite pas une seconde.

— À moins de ne plus en supporter le goût ou l'odeur, comme c'est parfois le cas au début de la grossesse, les femmes enceintes peuvent boire du café sans risque pour le bébé ou pour elles-mêmes. En quantité modérée, évidemment, c'est-à-dire l'équivalent de 2 ou 3 tasses de café ou de 300 mg de caféine par jour.

Je l'entends reprendre son souffle, puis elle continue.

— On parle de café, mais c'est plutôt de caféine dont il est question. Et s'il y a de la caféine dans le café, il y en a aussi dans le thé, le chocolat, les boissons énergisantes et les boissons gazeuses. Attends, je dois avoir un tableau sur la teneur en caféine. Laisse-moi voir. Oui, je l'ai. Je te l'envoie par courriel… Ça y est ?

— Oui, je l'ai reçu.

— Parfait.

Teneur en caféine de différents produits

Boisson ou aliment	Quantité	Teneur approximative en caféine (mg)
Café		
Filtre	200 ml, 6 onces	108-180 mg
Infusé	200 ml, 6 onces	100 mg
Instantané	200 ml, 6 onces	60-90 mg
Percolateur	200 ml, 6 onces	72-144 mg
Décaféiné	200 ml, 6 onces	2-5 mg
Expresso	30 ml, 1 once	70 mg
Cappuccino glacé	250 ml, 8 onces	60 mg
Thé		
Noir, vert ou blanc	200 à 250 ml, 6 à 8 onces	14-61 mg selon le temps d'infusion, peu importe la variété
Décaféiné	200 à 250 ml, 6 à 8 onces	< 12 mg
Boissons gazeuses (principalement cola et Mountain Dew®)	355 ml, 12 onces	28-64 mg
Boissons énergisantes (genre Red Bull®)	250 ml, 8 onces	80-140 mg
Tablette de chocolat		
Chocolat noir	60 g, 2 onces	40-50 mg
Chocolat au lait	60 g, 2 onces	3-20 mg

— Tu vois? poursuit Mathilde. Même les personnes qui boivent peu ou pas de café peuvent dépasser la dose recommandée de caféine. L'idée, c'est de tenir compte de l'ensemble des aliments et des boissons qui en contiennent. C'est le total qui compte.

Les tisanes, les plantes et les sucres artificiels

La rubrique sur le café a provoqué un raz-de-marée sur le blogue de la clinique. Mille questions ont surgi, certaines d'entre elles portant sur les tisanes, sur les boissons « diète » ou sur les sucres artificiels qui y sont ajoutés.

Le blogue
_____ de la clinique

Y a-t-il des plantes ou des tisanes à éviter durant la grossesse?

Mathilde écrit:

Dans l'ensemble, nous savons peu de chose sur les effets des herbes et des tisanes sur la croissance du fœtus ou sur la santé de la mère. C'est normal dans la mesure où l'on imagine mal que les femmes enceintes servent de cobaye pour essayer ces produits. Aussi, on recommande la prudence et la modération quand il est question de les utiliser.

Pendant la grossesse, les tisanes suivantes sont généralement considérées comme inoffensives si elles sont consommées avec modération (2-3 tasses par jour): pelure d'agrumes, gingembre, fleur de tilleul, mélisse officinale et églantier.

Rachèle ajoute:

Je profite de cette question pour préciser qu'il y a des périodes de la grossesse qui sont plus délicates que d'autres. Pendant les premières semaines, lorsque le bébé porte encore le nom d'embryon, la croissance cellulaire est très intense et rapide, rappelez-vous, et les cellules se spécialisent pour devenir des organes distincts: le cerveau, le cœur, les yeux, le système nerveux. Cette étape est marquée par le besoin de matériaux particuliers (comme l'acide folique), mais aussi par une très grande sensibilité aux poisons, toxines et agents pathogènes. C'est durant cette période que le risque d'effets secondaires est le plus grand.

C'est pourquoi la plupart des experts et des organismes gouvernementaux recommandent que pendant le premier trimestre de la grossesse, les femmes enceintes ne consomment aucun médicament, plante médicinale ou produit naturel à moins d'indications médicales. Le gingembre fait exception à la règle. Il a fait l'objet d'études auprès de femmes enceintes, s'est avéré efficace pour diminuer les nausées matinales et aucun effet indésirable n'a été rapporté.

Sarah ajoute encore:

Le «naturel» n'est pas une garantie. Par exemple, la sauge pourrait entraîner des contractions, les baies de genièvre et la noix de muscade, ainsi que certaines huiles essentielles (comme le vétiver) favoriseraient l'écoulement sanguin (à l'instar de l'aspirine). Partez du principe que ce que vous ne prenez pas ne pourra pas vous faire de mal.

 Est-ce à dire qu'il est dangereux pour la femme enceinte de consommer une tisane à la menthe?

Mathilde écrit:

Ce n'est pas que c'est dangereux, c'est qu'on n'en sait rien. Il n'y a pas eu d'essais cliniques portant sur les tisanes à la menthe. Plutôt que de dire n'importe quoi, on suggère aux femmes enceintes de s'abstenir. Il s'agit d'un principe de précaution.

Est-ce vrai que le jus de canneberge peut aider à prévenir les infections urinaires?

Rachèle écrit:

Oui, il semble en effet que le jus de canneberge pourrait avoir une certaine efficacité en ce sens. Chez la femme enceinte et celle qui allaite, la consommation de canneberge sous forme alimentaire ne pose pas de problème. Cependant, faute d'études sur le sujet, l'usage sécuritaire des suppléments n'a pas été établi. Aussi, on invite les femmes enceintes à prendre leurs canneberges sous forme de jus, de sauce ou de gelée.

 Une femme enceinte peut-elle consommer des boissons gazeuses diète, vous savez, celles qui sont sucrées sans sucre?

Les sucres artificiels ou édulcorants sont des substances ayant un pouvoir sucrant sans contenir autant de calories que le sucre. Certains, comme l'aspartame ou le polydextrose, sont utilisés comme additif alimentaire. Ils sont ajoutés dans divers aliments commerciaux, comme dans les boissons gazeuses, les desserts, les céréales de petit-déjeuner et la gomme à mâcher. D'autres, comme la saccharine et les cyclamates, sont utilisés uniquement comme édulcorant de table, c'est-à-dire qu'on peut s'en procurer pour l'ajouter soi-même au café ou aux autres boissons chaudes et dans nos recettes de dessert. Ils ne sont pas utilisés comme additif alimentaire.

Les données disponibles à l'heure actuelle montrent que les produits utilisés comme édulcorants au Canada peuvent être consommés sans danger, y compris par les femmes enceintes et par celles qui allaitent. Cependant, pour des motifs nutritionnels, les femmes enceintes devraient être mises en garde contre une consommation excessive de produits contenant des édulcorants artificiels, puisque de tels aliments risquent de remplacer des aliments riches en nutriments.

> ### ⓘ Info-Plus
>
> #### La teneur en caféine des boissons énergisantes
>
> Une tasse (250 ml) de boisson énergisante fournit entre 80 mg et 140 mg de caféine. Ceci étant dit, les canettes de 250 ml sont assez rares sur le marché. Les formats de 355 ml et de 473 ml sont beaucoup plus courants. Un des produits vendus en canette de 473 ml indiquait une teneur en caféine de 250 mg.
>
> #### La règlementation concernant les tisanes
>
> Au Canada, les herbes et les tisanes sont classifiées comme des suppléments alimentaires et non comme des médicaments. Les fabricants ne sont donc pas tenus de fournir la preuve que leurs produits sont sans danger avant de les mettre sur le marché. Cela représente un enjeu majeur puisque les préparations existantes sont nombreuses et que la provenance des ingrédients, la formulation et le contenu des produits sont variés.

Les suppléments de vitamines ou d'autres substances nutritives

Les suppléments ont fait l'objet d'autant de questions que le café et les tisanes. Les femmes se demandent si elles ont besoin ou si elles ont intérêt à prendre les produits dont elles entendent parler et lesquels.

En consultant le blogue, j'ai pu rassembler le point de vue de Mathilde sur la question.

« Un supplément est utile s'il sert à combler un manque, c'est-à-dire s'il fournit un élément nutritif qui risque d'être difficile à trouver en quantité suffisante dans l'alimentation (l'acide folique ou le fer, par exemple) ou s'il permet de corriger une déficience. Quand les suppléments fournissent un élément nutritif déjà suffisant, ou bien celui-ci est rejeté dans l'urine, ou bien il s'accumule et risque de nuire.

Le dosage est également un point important. Les multivitamines destinées aux femmes enceintes contiennent généralement de petites doses d'éléments nutritifs, c'est-à-dire une quantité semblable aux apports nutritionnels recommandés. Je me méfie des suppléments uniques parce que la dose est plus importante et qu'ils peuvent soit entraîner un déséquilibre ou nuire carrément. »

La vitamine A

« La vitamine A joue plusieurs rôles majeurs dans l'organisme : elle favorise une bonne vision, participe à la croissance des os et des dents, contribue à la santé de la peau et des muqueuses et protège contre les infections. Toutefois, si elle est consommée en trop grande quantité, elle peut nuire au développement du bébé. Ainsi, on recommande aux femmes enceintes de prendre une seule dose quotidienne de multivitamine, de façon à ne pas dépasser la quantité souhaitable de vitamine A, et même d'éviter les aliments dont la teneur en vitamine A est très élevée (comme le foie et ses dérivés). »

Ici, Rachèle intervient dans la discussion : « Cet exemple illustre bien qu'une bonne chose n'est pas nécessairement meilleure si elle est consommée en plus grande quantité.

Il fait également ressortir les dangers de l'automédication. Il montre que les femmes enceintes ont intérêt à consulter un professionnel de la santé avant de prendre un supplément… ou toute autre substance, médicament ou plante. »

Les oméga-3 sous forme de suppléments

Sur cette question, Mathilde renchérit : «L'état actuel des connaissances est suffisant pour conseiller aux femmes enceintes d'avoir une alimentation riche en oméga-3, mais ne permet pas de leur recommander de prendre un supplément.»

«Certaines formes de suppléments sont franchement déconseillées, soit à cause d'une teneur élevée en vitamine A (les huiles de foie de poisson), soit à cause de la présence potentielle de contaminants (les huiles de poisson).

Pour augmenter l'apport en oméga-3, la façon la plus efficace, mais aussi la plus savoureuse et la plus sensée, est de consommer des poissons qui en sont riches une ou deux fois par semaine.»

Les probiotiques sous forme de suppléments

«Ici encore, il serait prématuré de recommander des probiotiques sous forme de suppléments, étant donné l'état actuel des connaissances sur le sujet. D'autres études sont nécessaires. En attendant, il est conseillé de privilégier les sources alimentaires.

Autres sujets d'intérêt

J'ai reçu un courriel de Rachèle : «Mathilde me dit que tu prépares une section sur les substances dont on ne sait trop s'il faut les exclure ou les adopter. J'ai pensé que les deux thèmes qui suivent pourraient t'intéresser. Les questions m'ont été posées lors d'un récent colloque sur la santé maternelle.»

Faut-il craindre le bisphénol A ?

Le bisphénol A (BPA) est un composé chimique propre à certains plastiques utilisés à l'intérieur des boîtes de conserve et dans d'autres contenants. S'il est exposé à la chaleur, le contenant transfère une partie du BPA à l'aliment qu'il contient. Il n'y a théoriquement pas de problème si le contenant n'est pas chauffé.

Quelques études suggèrent que le bisphénol A est capable de traverser le placenta et qu'il pourrait affecter la croissance du fœtus. Il s'agit toutefois d'études préliminaires qui ont besoin d'être reproduites et validées avant que des conclusions claires puissent être établies.

En attendant, quand il s'agit de chauffer les aliments, on peut choisir des contenants faits pour le four à micro-ondes, donc, exempts de BPA. Dans le doute, on peut consulter le petit logo de recyclage qui se trouve sur le plastique. S'il porte en son centre le numéro 1, 2, 3 ou 5, il n'y a pas lieu de s'inquiéter. Il faut se méfier des plastiques numéro 7, qui peuvent contenir du BPA.

Est-ce que le fait de se passer de produits laitiers pendant la grossesse peut prévenir l'apparition d'eczéma chez le bébé ?

Selon les études publiées jusqu'à maintenant, il est peu probable que l'adoption d'une alimentation sans allergène réduise le risque que l'enfant souffre d'allergies. Il est même possible que ce modèle d'alimentation ait des effets négatifs sur l'état nutritionnel de la mère et du fœtus.

Derrière les mots

Une alimentation sans allergène exclut une série d'aliments reconnus pouvant provoquer une réaction allergique chez les sujets sensibles : les œufs, les arachides et les noix, le lait, le bœuf, plusieurs poissons et crustacés.

L'essentiel

- Les suppléments de vitamines, de minéraux ou d'autres substances nutritives servent à compléter l'alimentation, non pas à fournir des doses au-delà des besoins.

- La formule multivitamine est préférable à celle qui contient un seul élément nutritif puisqu'en général, elle renferme des doses moins élevées et qui se rapprochent des apports nutritionnels recommandés.

- Durant la grossesse, la prise de médicaments, de suppléments ou de produits naturels devrait toujours se faire sous la surveillance d'un professionnel de la santé. Il faut éviter l'automédication. Le risque n'en vaut pas la peine.

Chapitre 9

Est-ce que j'aurai le temps?

Sarah m'écrit. Elle a réuni dans un même document les remarques et commentaires qu'elle a reçus ou qui ont été publiés sur le blogue et qui portent sur le temps.

Le texte commence ainsi : « On me prédit que c'en est fini des soupers entre amis, des randonnées, des musées. Faut-il tout abdiquer en devenant mère ? »

Une femme lui répond : « C'est ce qu'on m'avait annoncé quand j'étais enceinte de mon premier enfant. Je me suis rendu compte que tout ce discours de manque de temps est exagéré. Il est tout à fait possible d'avoir une carrière, une famille, des loisirs et de dormir. Tout dépend de notre façon de gérer le temps. Choisit-on, par exemple, de passer 20 heures par semaine devant la télé (comme la moyenne des gens) ou d'utiliser ce temps autrement ? Est-ce que je fais tout moi-même ou est-ce que je partage les courses et les tâches ménagères ? »

« Le temps est une notion toute relative, écrit un autre blogueur. Nous vivons à une époque où tout doit se faire en même temps et vite. Est-ce bien nécessaire ? »

La mode est *slow*

À contre-courant de la course folle, des mouvements naissent partout sur le globe pour ralentir : tout a commencé avec le *slow food*, un concept né pour exprimer l'envers du *fast food*. L'expression réfère non pas à la vitesse à laquelle nous avalons chaque bouchée, mais plutôt à tout ce qui entoure l'acte de manger : préparer les repas avec des ingrédients qui ont eu le temps de pousser et de grandir, prendre le temps de s'arrêter pour manger et pour profiter de la compagnie des autres.

L'idée s'est ensuite étendue à d'autres domaines :

- Le *slow media* ou comment se détourner de la machine, comment se mettre hors circuit pour enfin prendre le temps de regarder autour de soi, de parler à celui ou celle qui se trouve juste à côté, de jouer avec le petit.

- Le *slow travel* ou l'art de voyager sans se presser, l'art de prendre ses vacances en se composant un horaire qui donne le temps de voir, d'écouter, de regarder.

Et si on créait la grossesse *slow* ? La famille *slow* ? Il faudrait à tout le moins examiner ce que nous avons au programme et nous interroger sur nos activités : riment-elles avec un mode de vie qui nous convient ou nous laissent-elles avec l'impression de devoir courir sans cesse ?

Sur le blogue, une femme écrit : « Quel sujet intéressant ! Je regarde peu la télé, mais je fréquente les médias sociaux de façon assidue. Quand je ferme l'ordinateur, je suis surprise de l'heure qu'il est. Et j'ai l'impression de m'être fait voler un temps précieux. Je fais donc l'essai de me débrancher… disons une semaine, pour voir si je peux redécouvrir le plaisir de l'horaire mollo. Souhaitez-moi bon succès. »

LE MOT DE LA FIN

Théo s'arrête à l'entrée de mon bureau.

— Viens, Théo. Prends le temps de t'asseoir.

— Alors, cette enquête ? demande-t-il.

— Passionnante.

— Raconte. Qu'est-ce qu'elle a de si particulier, l'alimentation de la femme enceinte ?

— Pour le fond, on flirte avec les mêmes grands principes que pour toute autre période de la vie : choisir des aliments variés, riches en éléments nutritifs, le plus près possible de leur forme originale. Les concepts de base sont semblables. Ce qui est particulier de la grossesse, c'est qu'elle entraîne des besoins nouveaux.

— Je te vois venir avec ta recommandation de manger pour deux.

— Pas du tout.

— Ah bon ?

— Je te dirais « choisir pour deux », ce qui traduit mieux le sens de la recommandation. La mère et le bébé ont besoin d'un peu plus de tout – un peu plus de calories, un peu plus d'éléments nutritifs – ce qui nécessite non pas de manger pour deux ou de manger comme deux, mais plutôt de choisir avec soin pour s'assurer d'obtenir tout ce qu'il faut.

— J'aime bien l'expression. C'est vrai qu'elle apporte une nuance intéressante.

— En plus, elle convient aussi bien aux aliments qu'à d'autres substances. Je pense aux tisanes, par exemple, aux plantes ou aux médicaments. Choisir pour deux implique qu'on y regarde à deux fois avant de porter quelque chose à sa bouche.

— Tu vas trouver que je manque d'objectivité, puisqu'Emma est enceinte, mais quand je regarde le modèle d'alimentation qui lui est proposé, je me dis que tout le monde aurait intérêt à l'adopter.

— Tu manques peut-être d'objectivité, mais tu as parfaitement raison, mon cher Théo.

— Comme d'habitude, lance-t-il en riant.

— Frimeur ! Sors d'ici que je finisse de rédiger mon texte.

Il se lève, souriant toujours.

— Et salue Emma de ma part.

RÉFÉRENCES BIBLIOGRAPHIQUES

DE GASQUET, Bernadette, 2009. *Bien-être et maternité*. Paris : Éditions Albin Michel, 374 pages.

FERREIRA, Ema, 2007. « Nausées et vomissements » *in Grossesse et allaitement : guide thérapeutique*. Montréal : Éditions du CHU Sainte-Justine, p. 435-447.

KHAMLA, Yvonne, Ema FERREIRA et Brigitte MARTIN, 2007. « Nutrition et suppléments vitaminiques » *in Grossesse et allaitement : guide thérapeutique*. Montréal : Éditions du CHU Sainte-Justine, p. 103-116.

MARTIN, Brigitte et Caroline MORIN, 2007. « Connaissance de base sur l'utilisation des médicaments au cours de la grossesse » *in Grossesse et allaitement : guide thérapeutique*. Montréal : Éditions du CHU Sainte-Justine, p. 67-85.

MOTHERISK, 2005. Herbal products.
www.motherisk.org/women/herbal.jsp

SANDNER, Catherine. 2010. *Dico anti-tabou de la grossesse*. Hachette livre (Hachette Pratique), 287 pages.

SANTÉ CANADA, 2007. *Évaluation des risques pour la santé liés au mercure présent dans le poisson et bienfaits pour la santé associés à la consommation de poisson*. Ottawa : Santé Canada, Bureau d'innocuité des produits chimiques.

SANTÉ CANADA, 2009. *Lignes directrices sur la nutrition pendant la grossesse à l'intention des professionnels de la santé.* Ottawa : Gouvernement du Canada.

SANTÉ CANADA, 2010. *Recommandations canadiennes relatives au gain de poids durant la grossesse.* Ottawa. Gouvernement du Canada.

SANTÉ CANADA, 2010. *Votre santé et vous. Listéria et salubrité des aliments.* Ottawa : Gouvernement du Canada.

Ressources

Livres pour les parents

Calvé, Julie et Françoise Ruby. *Guide des produits de santé naturels : bien les connaître pour mieux les utiliser.* Montréal : Éditions Protégez-Vous, 2006. 96 p.

Delavault, Agnès. *Guide pratique du panier d'épicerie : comment choisir les meilleurs produits en alliant plaisir et santé.* Montréal : Éditions Protégez-Vous, 2010. 72 p.

Doré, Nicole et Danielle Le Hénaff. *Mieux vivre avec notre enfant de la grossesse à deux ans, guide pratique pour les mères et pour les pères.* Québec : Institut national de santé publique du Québec, 2011. 736 p.

Sites Internet pour les parents

Extenso - Centre de référence sur la nutrition humaine
www.extenso.org

Guide de consommation du poisson de pêche sportive en eau douce
Développement durable, Environnement et Parcs Québec
www.mddep.gouv.qc.ca/eau/guide

Guide pratique d'une grossesse en santé
Agence de la santé publique du Canada
www.phac-aspc.gc.ca/hp-gs/guide-fra.php

Lignes directrices sur la nutrition pendant la grossesse à l'intention des professionnels de la santé – Renseignements relatifs au Guide alimentaire canadien
Santé Canada
www.hc-sc.gc.ca/fn-an/pubs/nutrition/guide-prenatal-fra.php

MAPAQ
Agriculture, Pêcheries et Alimentation Québec
www.mapaq.gouv.qc.ca/fr

Mieux vivre avec notre enfant de la grossesse à deux ans. Guide pratique pour les mères et les pères
Institut national de santé publique du Québec
www.inspq.qc.ca/mieuxvivre

Nous en avons parlé

Les pages qui suivent présentent des informations supplémentaires au sujet d'éléments nutritifs ou de substances dont il a été question dans le texte : l'acide folique, le calcium, la vitamine D, le fer, la vitamine B_6, les oméga-3, les probiotiques et le mercure.

L'acide folique (folate, folacine, vitamine B_9)

L'acide folique est nécessaire à la production des nouvelles cellules, tant chez la mère que chez le bébé ; il prévient certaines malformations, dont les anomalies de fermeture du tube neural.

Aliment	Quantité	Équivalents alimentaires de folate (mcg ou µg)
Légumineuses		
Lentilles cuites	175 ml (¾ t.)	265
Haricots blancs, rouges, à œil noir, en conserve	175 ml (¾ t.)	90 à 125
Pois chiches en conserve	175 ml (¾ t.)	120
Pois cassés cuits	175 ml (¾ t.)	90
Fruits, légumes et leur jus		
Asperges	6 pointes (100 g)	120
Épinards cuits	125 ml (½ t.)	120
Épinards crus, laitue romaine	250 ml (1 t.)	60 à 80
Avocat	½ fruit	80
Choux de Bruxelles, betteraves, brocoli, cuits	125 ml (½ t.)	70
Jus d'orange fait de concentré	125 ml (½ t.)	60
Panais	125 ml (½ t.)	50
Maïs en grains, pois verts	125 ml (½ t.)	40
Orange	1 moyenne	40
Jus d'ananas	125 ml (½ t.)	30
Jus de tomate ou de légumes	125 ml (½ t.)	25
Banane	1 moyenne	25

Produits céréaliers		
Pâtes alimentaires faites de farine enrichie	125 ml (½ t.)	90
Pain fait de farine de blé enrichie	1 tranche ou ½ pita ou ½ bagel	40 à 80
Tortilla de blé faite de farine enrichie	½ tortilla	45 à 65
Céréales enrichies prêtes à manger	30 g	10 à 50
Autres aliments		
Haricots de soja, rôtis, salés	60 ml (¼ t.)	90
Graines de tournesol écalées	60 ml (¼ t.)	80
Arachides écalées	60 ml (¼ t.)	45
Beurre d'arachide	30 ml (2 c. à s.)	20 à 45
Œufs	2 gros	45
Algues séchées	60 ml (¼ t.)	35
Noisettes ou avelines, noix de Grenoble	60 ml (¼ t.)	30

Source : Santé Canada. *Valeur nutritive de quelques aliments usuels.* Ottawa : Publications Santé Canada, 2008. 60 p.

La recommandation

On recommande aux femmes de prendre chaque jour une multivitamine contenant 400 microgrammes (0,4 mg) d'acide folique, au moins trois mois avant la conception, puis tout au long de la grossesse.

Le calcium

Le calcium participe à la formation et à l'entretien des os et des dents. Il joue également un rôle dans le travail des muscles, dans le fonctionnement du système nerveux et dans la coagulation du sang.

Où peut-on le trouver ?

Les principales sources de calcium sont le lait et les substituts du lait (yogourts, fromages, boissons de soja enrichies). D'autres aliments contiennent également du calcium, mais en plus petite quantité que dans le lait et ses substituts. Le brocoli et les légumes à feuilles vert foncé en sont des exemples, de même que les amandes et le beurre de sésame, le saumon en conserve avec les arêtes et le tofu.

La recommandation

L'apport recommandé aux femmes enceintes est le même qu'avant la grossesse, c'est-à-dire **1 000 mg** par jour, une quantité équivalente à celle contenue dans 3 tasses de lait.

La vitamine D

La vitamine D joue un rôle important dans le métabolisme du calcium et dans la santé des os et des dents. Elle a également été associée à la prévention contre le cancer, les maladies auto-immunes et les maladies cardiovasculaires.

La recommandation

L'apport recommandé est le même qu'avant la grossesse, c'est-à-dire 15 microgrammes (ou 600 unités internationales) de vitamine D chaque jour.

Les sources alimentaires de vitamine D

Aliment	Quantité	Teneur en vitamine D (mcg ou µg)[1]
Laits et aliments préparés avec du lait		
Lait écrémé, 1 %, 2 % et 3,25 % MG	250 ml (1 t.)	2,7
Boisson de soja ou de riz, enrichie	250 ml (1 t.)	2,7
Lait au chocolat	250 ml (1 t.)	2,7
Lait en poudre, non reconstitué	15 ml (1 c. à s.)	0,9
Pouding au riz maison	125 ml (½ t.)	1,1
Pouding instantané, préparé avec du lait	125 ml (½ t.)	1,3
Soupe-crème préparée avec du lait 2 %	250 ml (1 t.)	1,4
Yogourt fait de lait enrichi en vitamine D	175 ml (¾ t.)	1
Fromage frais (Minigo[MC], Danimal[MC])	1 cont. (60 g)	0,4
Poissons		
Saumon frais ou en conserve	75 g (2 ½ oz)	4 à 5
Thon en conserve	75 g (2 ½ oz)	1
Maquereau bleu de l'Atlantique	75 g (2 ½ oz)	2
Truite arc-en-ciel	75 g (2 ½ oz)	4,8
Huîtres	6	3,4
Goberge, sole	75 g (2 ½ oz)	1,1 à 1,4
Autres aliments		
Œufs	2 gros	2
Margarine molle	15 ml (1 c. à s.)	1,9
Viande (bœuf, agneau, porc, veau)	75 g (2 ½ oz)	0,5 à 1
Jus d'orange enrichi de vitamine D	125 ml (½ t.)	1,1

Source : Santé Canada. V*aleur nutritive de quelques aliments usuels.* Ottawa : Publications Santé Canada, 2008. 60 p.

1. La teneur en vitamine D est parfois exprimée en microgrammes (mcg ou µg) ou en unités internationales (UI). Retenir que 1 µg = 40 UI.

Le fer

Le fer entre dans la composition de l'hémoglobine du sang et il joue un rôle important dans le transport de l'oxygène et le métabolisme de l'énergie. Il participe également à la croissance des cellules du fœtus et du placenta.

Les sources alimentaires de fer

Aliment	Quantité	Teneur en fer (mg)
De source animale		
Palourdes	75 g (2 ½ oz)	21
Huîtres, moules	75 g (2 ½ oz)	5 à 7
Boudin	75 g (2 ½ oz)	5
Bœuf	75 g (2 ½ oz)	1,5 à 3
Crevettes, pétoncles, sardines	75 g (2 ½ oz)	2
Agneau	75 g (2 ½ oz)	1,5 à 1,8
Poulet	75 g (2 ½ oz)	1
Porc, veau	75 g (2 ½ oz)	0,5 à 1,5
Thon, saumon, maquereau, aiglefin	75 g (2 ½ oz)	1 à 2
De source végétale		
Haricots blancs, de soja, lentilles, cuits	175 ml (¾ t.)	4 à 6,5
Graines de citrouille	60 ml (¼ t.)	5,2
Gruau ou crème de blé instantanés	175 ml (¾ t.)	3 à 6
Céréales à déjeuner	30 g	4
Tofu, ferme	100 g (3 ½ oz)	2
Pommes de terre, épinards, pois, pois mange-tout	125 ml (½ t.)	1 à 2

Fruits séchés (abricots, pruneaux, raisins)	60 ml (¼ t.)	0,5 à 1,3
Noix, arachides, graines de tournesol	60 ml (¼ t.)	0,5 à 2
Pâtes alimentaires enrichies	125 ml (½ t.)	1 à 1,5
Jus de pruneau	125 ml (½ t.)	1,5
Beurre d'arachide ou d'amande	30 ml (2 c. à s.)	0,5 à 1,5
Pain enrichi	1 tranche ou ½ pita ou ½ bagel	1

Source : Santé Canada. *Valeur nutritive de quelques aliments usuels.* Ottawa : Publications Santé Canada, 2008. 60 p.

Le fer d'origine animale est mieux absorbé que celui d'origine végétale. Pour favoriser l'absorption du fer contenu dans les aliments d'origine végétale, il faut consommer un aliment riche en vitamine C au cours du même repas (tomates ou jus d'orange, par exemple) ou encore, un produit d'origine animale qui contient du fer (un peu de poulet ou de poisson, par exemple).

La recommandation

Pour combler les besoins accrus de la grossesse, on recommande aux femmes enceintes de prendre chaque jour une multivitamine contenant 16 à 20 mg de fer.

La vitamine B$_6$ (pyridoxine)

La vitamine B$_6$ est impliquée dans de nombreux mécanismes de régulation et de construction des tissus. Elle participe au bon fonctionnement du système nerveux central et à la fabrication de l'hémoglobine. Elle est également indispensable au développement du fœtus.

Les sources alimentaires de vitamine B$_6$

Aliment	Quantité	Teneur en vitamine B$_6$ (mg)
Viandes, volaille, poissons		
Saumon frais, au four ou grillé	75 g (2 ½ oz)	0,3 à 0,7
Thon en conserve	75 g (2 ½ oz)	0,3
Saumon en conserve	75 g (2 ½ oz)	0,2
Poulet rôti	75 g (2 ½ oz)	0,2 à 0,4
Flétan	75 g (2 ½ oz)	0,3
Bœuf, porc, veau	75 g (2 ½ oz)	0,2 à 0,5
Légumes, fruits et leur jus		
Pomme de terre	1 moyenne	0,4 à 0,7
Banane	1 moyenne	0,4
Patate douce	1 moyenne	0,3
Jus de pruneau	125 ml (½ t.)	0,3
Avocat	½ fruit	0,25
Pruneaux cuits	125 ml (½ t.)	0,25
Poivrons rouges sautés	125 ml (½ t.)	0,25
Choux de Bruxelles	125 ml (½ t.)	0,2
Épinards bouillis, égouttés	125 ml (½ t.)	0,2
Jus de tomate, jus de légumes	250 ml (1 t.)	0,2 à 0,3

Autres aliments		
Pistaches	60 ml (¼ t.)	0,5
Extrait de levure, tartinade	30 ml (2 c. à s.)	0,5
Haricots de soja, pinto, bouillis	175 ml (¾ t.)	0,3
Graines de tournesol, de sésame	60 ml (¼ t.)	0,3
Haricots blancs, rouges, en conserve	175 ml (¾ t.)	0,2
Fromage feta	50 g	0,2
Gruau d'avoine cuit	175 ml (¾ t.)	0,2 à 0,35
Céréales prêtes à manger	30 g	0,2 à 0,3

Source : Santé Canada. *Fichier canadien sur les éléments nutritifs*, 2009.

Les oméga-3

Les oméga-3 appartiennent à la famille des gras polyinsaturés, ceux qu'on qualifie de « bons gras ». Comme les
autres polyinsaturés, les acides gras oméga-3 font partie de
la structure même des cellules et ils contribuent à leur bon
fonctionnement. Ils sont dispersés dans toutes les parties
du corps et ils jouent une grande variété de fonctions. Le
cerveau a besoin de cette substance, non seulement pour
fonctionner, mais aussi pour se développer.

Où peut-on les trouver ?

Les aliments qui en contiennent le plus sont les poissons gras
comme le saumon, la truite, le maquereau, le hareng et la
sardine. On en trouve également dans l'huile de canola, les
graines de lin moulues, le soja et les noix de Grenoble.

Recommandation

Il n'y a pas de recommandation concernant les oméga-3,
mais plutôt sur la quantité de poisson à consommer pendant
la grossesse. Ainsi, Santé Canada recommande aux femmes
enceintes de consommer « au moins 150 g de poisson cuit
chaque semaine. Le poisson contient des acides gras oméga-3
et d'autres nutriments importants pendant la grossesse ».

Les probiotiques

Le terme « probiotique » signifie que la substance « contient des micro-organismes vivants ayant un effet bénéfique sur celui qui les consomme ». On utilise ce terme pour désigner des aliments, certains yogourts par exemple, ou encore des suppléments vendus en poudre ou en capsules.

Les probiotiques ont pour effet d'équilibrer et de régénérer les bactéries présentes dans l'intestin et, du coup, d'aider celui-ci à exercer ses nombreuses fonctions (digestives, antimicrobiennes et immunitaires). On les utilise pour prévenir ou traiter différents problèmes intestinaux.

Où peut-on les trouver ?

Dans les aliments, ce sont les produits laitiers fermentés (yogourt, kéfir) qui constituent la source la plus courante de probiotiques. Il est à noter que les yogourts étiquetés « probiotiques » se distinguent des yogourts traditionnels en ce sens qu'ils contiennent des souches de bactéries différentes, capables de se rendre jusqu'à l'intestin.

Pendant la grossesse, il est conseillé de privilégier les sources alimentaires de probiotiques (les yogourts, par exemple). La quantité de même que le type de bactéries que contiennent ces produits sont reconnus pour convenir aux femmes enceintes.

Le mercure

La contamination par le mercure provient principalement de sources industrielles : des incinérateurs, de la combustion du charbon. Étant très volatil, le mercure peut voyager dans l'air sur de grandes distances avant de se déposer. Dans l'eau, il est transformé en méthylmercure, la forme la plus dangereuse de mercure. Il s'accumule ainsi dans la chair des poissons, qui l'absorbent à partir des eaux environnantes, mais surtout après avoir avalé d'autres poissons qui contiennent du mercure.

Ainsi, la chair d'un poisson prédateur qui s'alimente de grandes quantités d'autres poissons aura tendance à contenir plus de mercure que celle d'un poisson qui se nourrit d'insectes ou de plancton. De même, plus un poisson grossit, plus le niveau de contamination augmente.

Les effets néfastes d'une exposition au méthylmercure sur la santé humaine varient selon la dose absorbée et la durée de l'exposition. L'accumulation de fortes doses peut perturber différentes fonctions comme la motricité, l'attention et la mémoire.

Lorsqu'il est ingéré, le méthylmercure peut traverser le placenta. Le fœtus est particulièrement sensible aux substances toxiques comme le méthylmercure, d'où l'importance pour les femmes enceintes de surveiller leur consommation de poissons prédateurs.

Les poissons suivants contiennent généralement peu de mercure. Ils peuvent être consommés sans danger.

- Saumon ;
- Truite mouchetée, saumonée ou arc-en-ciel ;

- Sole, morue, aiglefin, goberge ;
- Hareng, capelan ;
- Éperlan ;
- Grand corégone, alose savoureuse ;
- Anchois ;
- Poulamon (petits poissons des chenaux) ;
- Maquereau de l'Atlantique ;
- Merlu, suceur ballot ;
- Thon pâle en conserve.

Ceux qui suivent peuvent avoir une teneur plus élevée en mercure. Il vaut mieux les consommer avec modération.

- Poissons de mer[2] : requin, espadon, thon frais ou congelé, escolier, hoplostète orange ;
- Poissons d'eau douce[3] : brochet, achigan, doré, maskinongé, touladi (truite grise).

Les femmes enceintes qui consomment des poissons de pêche sportive de façon régulière[4] devraient vérifier auprès du gouvernement provincial ou territorial si des avis ont été émis à cet égard dans leur région[5].

---

2. Les femmes enceintes, celles qui prévoient le devenir et celles qui allaitent devraient limiter leur consommation à 150 g par mois (2 portions de 75 g).

3. Pour les femmes qui planifient une grossesse, les femmes enceintes et celles qui allaitent, on recommande d'éviter de consommer souvent ces espèces.

4. Si l'on ne consomme du poisson qu'à l'occasion, lors d'un voyage de pêche par exemple, le risque d'accumuler des contaminants dans l'organisme est alors quasi inexistant, de sorte qu'aucune restriction n'est suggérée.

5. Elles peuvent s'adresser au ministère du Développement durable, de l'Environnement et des Parcs en composant le 418 521-3830 ou le 1 800 561-1616 ou en consultant leur site Internet : www.mddep.gouv.qc.ca/eau/guide

OUVRAGES PARUS DANS LA MÊME COLLECTION

LE DÉVELOPPEMENT DE L'ENFANT AU QUOTIDIEN
DU BERCEAU À L'ÉCOLE PRIMAIRE
Francine Ferland
ISBN 2-89619-002-3   2004/248 p.

LE DIABÈTE CHEZ L'ENFANT ET L'ADOLESCENT
Louis Geoffroy, Monique Gonthier et les autres membres de l'équipe
de la Clinique du diabète de l'Hôpital Sainte-Justine
ISBN 2-922770-47-8   2003/368 p.

LA DISCIPLINE, UN JEU D'ENFANT
Brigitte Racine
ISBN 978-2-89619-119-2   2008/136 p.

DROGUES ET ADOLESCENCE
RÉPONSES AUX QUESTIONS DES PARENTS - 2E ÉDITION
Étienne Gaudet
ISBN 978-2-89619-180-2   2009/136 p.

DYSLEXIE ET AUTRES MAUX D'ÉCOLE
QUAND ET COMMENT INTERVENIR
Marie-Claude Béliveau
ISBN 978-2-89619-121-5   2007/296 p.

EN FORME APRÈS BÉBÉ
EXERCICES ET CONSEILS
Chantale Dumoulin
ISBN 2-921858-79-7   2000/128 p.

EN FORME EN ATTENDANT BÉBÉ
EXERCICES ET CONSEILS
Chantale Dumoulin
ISBN 2-921858-97-5   2001/112 p.

ENFANCES BLESSÉES, SOCIÉTÉS APPAUVRIES
DRAMES D'ENFANTS AUX CONSÉQUENCES SÉRIEUSES
Gilles Julien
ISBN 2-89619-036-8   2005/256 p.

L'ENFANT ADOPTÉ DANS LE MONDE
(EN QUINZE CHAPITRES ET DEMI)
Jean-François Chicoine, Patricia Germain et Johanne Lemieux
ISBN 2-922770-56-7   2003/480 p.

L'HYDROCÉPHALIE : GRANDIR ET VIVRE AVEC UNE DÉRIVATION
Nathalie Boëls
ISBN 2-89619-051-1   2006/112 p.

J'AI MAL À L'ÉCOLE
TROUBLES AFFECTIFS ET DIFFICULTÉS SCOLAIRES
Marie-Claude Béliveau
ISBN 2-922770-46-X   2002/168 p.

JOUER À BIEN MANGER
NOURRIR MON ENFANT DE 1 À 2 ANS
Danielle Regimbald, Linda Benabdesselam,
Stéphanie Benoît et Micheline Poliquin
ISBN 2-89619-054-6   2006/160 p.

JUMEAUX : MISSION POSSIBLE !
Gisèle Séguin
ISBN 978-2-89619-156-7   2009/288 p.

LES MALADIES NEUROMUSCULAIRES CHEZ L'ENFANT
ET L'ADOLESCENT
Sous la direction de Michel Vanasse, Hélène Paré,
Yves Brousseau et Sylvie D'Arcy
ISBN 2-922770-88-5   2004/376 p.

MON CERVEAU NE M'ÉCOUTE PAS
COMPRENDRE ET AIDER L'ENFANT DYSPRAXIQUE
Sylvie Breton et France Léger
ISBN 978-2-89619-081-2   2007/192 p.

LA MOTIVATION À L'ÉCOLE, UN PASSEPORT POUR L'AVENIR
Germain Duclos
ISBN 978-2-89619-235-9   2010/160 p.

MUSIQUE, MUSICOTHÉRAPIE ET
DÉVELOPPEMENT DE L'ENFANT
Guylaine Vaillancourt
ISBN 2-89619-031-7   2005/184 p.

Imprimé au Canada par
Transcontinental Métrolitho